돈워리 비해피

돈워리 비해피

지은이   여 진

발 행 2023년 12월 29일
펴낸이 한건희
펴낸곳 주식회사 부크크
출판사등록 2014.07.15.(제2014-16호)
주 소 서울특별시 금천구 가산디지털1로 119 SK트윈타워 A동 305호
전 화 1670-8316
이메일 info@bookk.co.kr

ISBN   979-11-410-6304-7

돈워리 비해피

여 진

BOOKK

들어가며

　나만이 쓸 수 있는 내 이야기를 쓰고 싶었다. 내 이야기를 쓰려고 하니 자연스럽게 과거로의 여행이 시작되었다. 넓은 마당, 커다란 기와집이 보인다. 양복을 입고 안경 쓴 할아버지는 대청마루에서 빨간 누빔 원피스에 흰 망토를 한 세 살배기 볼 빨간 곱슬머리 여진을 무릎에 앉혀 놓고 동화책을 보여주고 있다. 갑자기 어두워지고 마음이 시려온다. 우리는 이사를 했다. 우리가 살던 집의 근처 골목에 초록색 대문집이 보인다. 안에는 마당과 공용으로 쓰는 화장실이 있다. 가운데 주인집의 양옆으로 문이 여럿 있다. 오른쪽 끝에 있는 문을 여니 바로 신발 벗는 곳이 있고, 무릎 높이 위에 있는 여닫이문을 여니 바로 방이 있다. 신발 벗는 곳의 왼쪽엔 수도꼭지가 있고 그 옆엔 석유곤로(석유를 연료로 한 휴대용 조리기구)가 있다. 할머니와 오빠와 나는 방 한 칸에 살게 되었다. 부모님은 장사를 시작하셨다. 나의 어릴 적 첫 기억이다.

　이렇게 보면 마치 슬픈 영화의 불쌍한 주인공인 것 같다. 이 글을 읽게 되는 엄마는 눈물을 훔치고 계실지도 모르겠다. 이런 환경에도 불구하고 내 옆에서 함께 해주고 힘이 되어준 인연들 덕분에 꿋꿋하고 씩씩한 모습으로 잘 살아갈 수 있었다. 추억여행 속에서 만난 그대들이 나의 인생에 얼마나 소중하고 고마운 사람인지 새삼 알게 되었다. 힘든 삶은 부모님의 노력으로 나은 삶으로 발전했으며, 그 안에서 나 또한 성장하며 발전할 수 있었다.

어떤 이야기는 쓰기도 전에 눈물샘이 열려 펑펑 울었고, 어떤 이야기는 쓰면서 피식피식 웃게 되었다. 나의 이야기가 누군가에게는 공감을, 누군가에게는 위로를, 누군가에게는 따스함을 전할 수 있었으면 한다. 재미와 감동이 함께하는 시간 속에서 나의 마음이 당신께 닿기를 당신이 내가 되어 글 속에 빠져보기를 소망해 본다.

내 이야기 쓰기로 시작했는데 주인공은 여러분이 되었다. 정성 들여 하나하나에 마음 담아서 이 책을 완성했다. 이야기의 주인공인 여러분이 행복하다면 그것만으로도 감사하다. 추천사는 존경하는 고등학교 1학년 담임 김주석 선생님과 한 문장 쓰기도 어려웠던 첫 만남부터 책을 내기까지 멘토가 되어주신 이성혁 작가님께서 써주셨다. 책 제목은 아빠의 유언인 '돈워리 비해피'로 정했다. 표지 디자인은 내 인생 최고의 친구 옥이가 해주었다. 그림은 사랑하는 아들 알맹이의 작품이다. 글벗(글로써 사귄 벗) 미란 님은 귀한 시간 내어 읽어봐 주시고 도움을 주셨다. 함께 한 모든 분과 이야기의 주인공이 되어준 여러분, 이 안에 담지 못했지만 내 인생에서 만난 소중한 사람들에게 감사함을 전한다.

2023년 12월
여 진

차례

2부 - 소중해요 -

3부 - 고마워요 -

4부 - 응원해요 -

다양한 에피소드가 가득한
소소한 이야기 속 여행으로
여러분을 초대합니다!

1부 - 사랑해요 -

엄마 닮았으면 예뻤을 텐데

내가 어릴 적에 사람들에게 가장 많이 듣던 말이 "엄마 닮았으면 예뻤을 텐데."이다. 사람들은 내가 신경이 쓰였는지 이 말의 끝에는 "그래도 여진이는 귀여워요."라고 덧붙였다. 그래서 난 어릴 적부터 '예쁘지 않을 때 쓰는 말이 귀엽다는 건가?'라고 생각하게 되었다. 엄마는 일흔이 넘으셨는데 미모는 여전히 빛이 나고 거기다 젊음은 덤으로 갖고 계신다. 지하철 개찰구에 경로 우대카드를 찍으면 "삑삑" 소리가 나는데, "삑삑" 소리에 엄마는 몇 번이나 같은 역무원에게 불려 가서 신분증을 보여주셨다고 한다. 역무원은 신분증 확인 후에 연신 머리를 조아리며 죄송해 어쩔 줄 몰라 했다고 한다. 심지어 엄마는 노약자석의 빈자리에도 눈치가 보여서 잘 앉지 못하신다. 앉게 되더라도 일반석에 자리가 나면 옮겨 앉으신다. 미용실에서도 엄마 나이를 가늠하지 못하고 말을 놓았다가 나중에 알고는 깜짝 놀라셨다고 한다. 이런 이야기를 들을 때면 아직도 젊고 예쁜 엄마라서 괜스레 기분이 좋아진다.

엄마와 아빠는 9살 차이였다. 아빠는 농담인지 진짜인지 101번째 선본 엄마한테 첫눈에 반해서 청혼했다고 하셨다. 부모님은 5월 중순에 선을 보고, 며칠 지나지 않아 6월 2일에 약혼하고, 얼마 지나지 않아 6월 13일에 결혼하셨다. 신혼 초에는 예쁜 새색시가 왔다고 동네에 소문이 나서 사람들은 엄마 얼굴을 보기 위해 담장 밖에서 기웃기웃했다고 한다.

우리 아빠는 딸만 여섯이나 되는 집안의 외아들이었다. 시아버지, 시어머니, 시누이가 여섯인 집에 스물넷에 시집온 울 엄마. 모든 것이 서툴고 낯설었을 텐데 얼마나 긴장이 됐을지 상상이 안 간다. 드라마를 보면 시집살이시키는 못된 시누이들이 많고, 시누이가 싫어서 시금치를 안 먹는 사람들도 있다던데, 우리 고모들은 좋으셔서 아빠가 돌아가신 후에도 엄마와 친구처럼 자매처럼 함께 즐겁게 지내신다.

할아버지와 할머니를 모시는 건 우리 부모님의 몫이었다. 할아버지는 내가 어릴 적에 돌아가시고, 할머니는 우리와 함께 살았다. 오빠와 나는 부모님이 장사를 시작하게 되셔서 할머니와 함께 지내는 시간이 많았다. 우리는 학교 수업을 마치면 집이 아닌 가게로 가서 엄마를 만나야 했다.

엄마는 가게 문을 닫는 적이 거의 없었다. 혹여나 손님들이 헛걸음하지 않길 바라서서 평일이나 휴일에 상관없이 문을 여셨다.

그 때문에 나의 일상에 있어서 엄마는 온전히 내 것이 될 수 없었다. 외출하더라도 12시 종이 치기 전에 돌아와야 마법이 풀리지 않는 신데렐라처럼 4시 전에는 가게로 돌아와야 했다. 이다음에 엄마가 가게를 그만두면 엄마와 함께 '시간 걱정 없는 여행'을 꼭 하리라 마음먹었다.

'시어머니와 며느리의 생일이 같은 날일 확률은 얼마나 될까?' 우리 엄마 생신은 할머니 생신과 같은 날이었다. 엄마는 축하받아야 할 생일날 늘 시어머니 생신상을 차리느라 고생하셨다. 고모들이 도와주셨지만 그래도 엄마가 힘들겠다는 생각이 들었다. 그래서 나는 용돈을 받기 시작하면서 한 번도 빼지 않고 엄마 선물을 샀다. 엄마를 기쁘게 해드리고 싶어서 스카프, 브로치, 영화 티켓 등 마음 담은 선물을 했다. 고등학교 때는 장미꽃 100송이를 선물했다가 엄마의 타박을 받고 토라져서 울었던 기억이 난다.

몇 해 전 꽃을 보고 엄마 생각이 나서 선물했는데 "우리 딸, 고마워."라고 하신다. 예전 이야기를 했더니 엄마도 기억하고 계셨다. "우리 딸, 또 울릴 수는 없지." 하며 함박웃음을 지으셨다. 꽃향기를 맡으시는 소녀 같은 엄마 모습에 한참을 웃었다.

엄마는 차도녀(쌍꺼풀이 큰 눈에 오똑한 코, 도도하고 쌀쌀맞은 분위기에 세련된 여자)스타일 이었다. 친척 동생들한테 우리 집에서 자고 가라고 하면 외숙모가 무서워서 싫다고 했다. 몇 번을 구슬려서 자고 나면 우리 엄마의 진면모를 알고 좋아하게 되었다.

겉으로는 차갑지만, 누구보다 마음은 따뜻한 엄마라는 걸 고등학교 때 도시락에 넣어 준 편지를 보고 알게 되었다. 그전까지는 늘 사랑한다고 입에 달고 사시는 아빠와 달리 표현을 안 하셔서 엄마가 나를 사랑하는지 안 하는지 반반의 마음이 들었다. 그래서 선택한 엄마에 대한 소심한 복수는 아빠한테 사랑 표현을 더 많이 하는 것이었다. 이상하게 엄마한테는 사랑한다는 말이나 애교도 잘 나오지 않았다.

장사하며 치매에 걸린 시어머니를 보살피는 일은 쉽지 않았을 것이다. 엄마를 돕는다고 도왔지만 어린 내가 할 수 있는 일은 한계가 있었다. 다행히 가게와 집이 가까워 비상시에는 엄마가 집으로 와서 해결하고 나가셨다. 무척이나 힘드셨을 텐데 엄마는 힘든 내색 없이 묵묵히 꿋꿋이 하루하루를 살아내고 있었다. 엄마는 시집온 지 25년쯤 지나 할머니께서 돌아가시고 나서 효부상을 받으셨다. 그 상을 끌어안고 얼마나 우셨는지 모른다. 내 엄마여도 쉽지 않았을 일을 엄마는 그렇게 온 마음 다해서 해내셨다.

나는 결혼 후에 아이를 낳고 친정에서 몸조리했다. 장사를 해서 바쁘고 힘든 엄마인 걸 알지만 그래도 엄마 곁이 좋았다. 친정(서울)에서 몸조리를 마치고 영종도 우리 집에 오려고 하는데 엄마도 울고, 고모도 울고, 나도 울고, 눈물 바람이 세차게도 불었다. 그리 멀지도 않은 거리인데 왜 그렇게 눈물이 났는지 모르겠다. 내가 자식이었을 땐 몰랐는데 엄마가 되고 나니 생명을 낳아서 기른다는 게 얼마나 많은 희생과 책임이 따르는 것인지 알게 되었다. 엄마가 되고 나서 엄마를 더 사랑하게 되었다. 엄마의 마음이 무엇인지 어렴풋이 알게 되면서 말이다.

엄마는 우리 집에 지하철을 타고 오신다. 그런데 한 번도 빈손으로 오시는 적이 없다. 딸이 좋아하는 갈비, 오이김치, 깻잎김치, 열무김치, 장조림, 오이지무침, 나물무침 등 이동식 카트에 한가득 싣고 오신다. 세상에서 가장 맛있는 엄마 반찬을 만나는 날엔 내 마음은 세상 제일 부자가 되고, 나는 가장 행복한 사람이 된다. 엄마께 올해에는 김장하지 말자고 했더니 앞으로 해주면 얼마나 더 해줄 수 있겠냐며 고춧가루를 사놔서 해야 한다고 하신다. 맛있는 엄마 김치를 먹을 수 있어서 감사하지만, 김장에 별 도움이 못 되는 딸이라 죄송스럽기만 하다.

나에게 사춘기는 있어도 없는 것이었다. 어설픈 반항 따위로 엄마를 힘들게 하고 싶지 않았다. 엄마한테만큼은 착한 딸이 되고 싶었다. 엄마의 삶에 대한 태도 '열심'은 '존경' 그 자체였기 때문이다. 엄마는 애어른으로 자란 내가 마음에 걸리셨는지 자신의 젊음을 녹여내 나를 길렀음에도 늘 미안해하신다. 더 좋은 딸이 못되어서 미안한 건 나인데 말이다.

마흔이 넘은 지금도 기쁜 일이 있을 때, 슬픈 일이 있을 때, 힘든 일이 있을 때, 아플 때 가장 먼저 생각나는 사람은 '엄마'이다. 그냥 존재 자체로 세상에서 가장 큰 힘이 되는 사람.

엄마가 내 엄마라서 행복했고, 행복하고, 행복할 것이다.
그런데 딱 한 가지가 아쉽다. 엄마 닮게 낳아 주지.

'엄마 닮았으면 예뻤을 텐데.'

대진이 동생 여진이

대진(大珍)이는 큰 보배. 여진(女珍)이는 여자의 보배. 할아버지께서 지어주신 오빠와 나의 이름이다. 어릴 적 나는 큰 보배가 여자의 보배보다 더 좋은 게 아닌가 싶어 질투 아닌 질투를 했다. 2대 독자였던 오빠는 그 자체로 귀하디귀한 손주이며 아들이자 조카였다. '막내의 본능이랄까?' 나도 모르는 새에 나는 애교를 부리는 막내딸이 되었다.

부모님께서는 장사로 바쁘셨기에 어린 나는 오빠 바라기, 오빠 껌딱지였다. 오빠와 함께하는 술래잡기, 오징어 놀이, 땅따먹기, 달팽이 놀이, 38선 놀이, 8자 놀이, 사방치기, 구슬치기 등 놀이는 언제나 신이 났다. 나에게 새로운 놀이를 선물해 준 오빠는 오락실의 기쁨도 일찌감치 알게 해줬다. 그 덕에 지금도 퍼즐 조각을 끼워서 맞추는 테트리스, 1945 공군 슈팅 비행기 게임은 제법 잘한다.

우리 오빠는 예체능에 소질이 많았다. 타고난 운동신경으로 운동을 잘하고, 배운 적도 없는데 미술도 잘하고, 독학으로 기타도 연주했다. 나는 재능이 많은 오빠가 부러웠다. 오빠는 언제부터인지 영화에 푹 빠지더니 로드쇼와 스크린 잡지를 매달 구매하기 시작했다. 그 당시에 잡지를 사서 당첨되면 브로마이드, 카세트테이프, 영화관람권 등의 선물을 주었다. 선물을 받는 것은 좋았지만 직접 사무실로 받으러 가야 했다. 토요일, 사무실이 문 닫기 전에 가야 했기에 그 심부름은 일찍 끝나는 나의 몫이었다.

나는 초등학생 때부터 혼자 버스나 지하철을 타고 심부름하는 착한 동생이었다. 사무실 위치는 홍대와 가까운 청기와 주유소 근처 어디쯤이었던 걸로 기억한다. 사은품을 받아 올 때면 내 선물도 아닌데 콧노래가 절로 나고 기분이 좋았다. 왜냐하면 보통 때는 껌딱지 여동생을 세상 귀찮아하는 무뚝뚝한 오빠인데, 선물을 받아오는 주말은 세상에서 가장 친절하고 다정한 오빠로 변신했기 때문이다.

어른이 되어서도 우리의 남매애(男妹愛)는 끈끈했다. 오빠가 나를 예뻐해 주니 주위에서도 예뻐해 줬다. 오빠 친구들은 물론 오빠의 직장 사람들과도 친해졌다. 그들은 나에게도 '박 과장'이라고 부르며, 회식이나 엠티 자리에 초대해 줘서 함께 시간을 보냈다. 특히 스키장과 야구장에 갔던 일이 기억에 남는다. 나는 어렸을 때도 커서도 오빠 껌딱지였다.

얼마 전 오빠가 어깨를 다쳤다. 욕실에서 넘어지면서 팔이 빠지고 어깨 인대가 심하게 손상되어 수술받게 되었다. 원래 오빠는 낮에 직장에서 일하고 새언니는 서점에서 일했다. 그리고 엄마가 조카들을 봐주셨다. 저녁에 오빠가 퇴근 후 서점으로 가면 새언니는 집으로 갔다. 직장생활이 힘들었던 오빠지만 하고 싶었던 일이라 퇴근 후에도 서점에서 일하며 열심히 살았다. 하지만 다치면서 더 이상 일을 할 수 없어서 직장을 그만두게 되었다.

오빠 친구들이 300만 원을 보내줬다고 했다. "오빠, 잘 살았네. 그런 친구들도 있고 좋겠다." 나는 오빠 친구들에게 고맙다고 전화를 걸었다. "오빠들이 있어서 우리 오빠는 힘이 나고 든든할 것 같아."라고 했더니 오빠들은 오히려 그렇게 생각해 줘서 고맙다고 했다.

'좋은 친구는 인생에서 가장 큰 보배이다.'라는 법정 스님의 말씀이 생각난다. 우리 오빠 대진(大珍)이가 이름처럼 큰 보배여서 좋은 친구가 되기도 하고 좋은 친구가 옆에 있나 보다. 여진이 오빠 대진이! 지금, 이 순간의 아픔과 슬픔도 친구들의 위로와 응원으로 잘 견뎌낼 거라 믿어 의심치 않는다.

나는 대진이 동생 여진이인 게 너무 행복하다.
여진이 오빠 대진이인 게 오빠에게도 행복이었으면 좋겠다.

돈워리 비해피

"Can you speak English?" 아빠 옆에서 간병하던 나는 깜짝 놀랐다. 추석날 구급차를 타고 병실에 오신 지 며칠 만에 처음 듣는 아빠의 음성이었다. 가장 강한 진통제를 맞고 며칠째 주무시기만 했던 아빠는 기적처럼 또렷하게 그것도 영어로 나에게 말을 걸었다. "응? 아빠, 나 영어 잘 못하는데……." 아빠는 "Don't worry, be happy!"라고 말씀하시고는 다시 깊은 잠에 빠지셨다. 이것이 아빠와 나의 마지막 추억이 되었다.

아빠의 주변엔 늘 사람이 많았다. 정 많고 유쾌하고 긍정적인 아빠는 함께 있으면 해피 바이러스를 뿜뿜 뿜어내셨다. 아빠가 카투사에서 복무하셨던 당시 휴가를 나오면서 흑인 친구를 말도 없이 데려와 할머니가 기절하실 뻔했다고 한다. 옛날 고등학교 앨범에서 찾은 아빠는 스카프를 머리에 두르고 여자 분장한 모습으로 수줍게 웃고 있었다. 아들 하나에 딸 여섯. 한 분은 돌아가셨고 다섯 분의 고모들은 아빠와 사이가 정말 좋았다. 고모들을 아끼고 사랑하는 아빠 덕분에 우리 친척은 단합이 잘 되었다.

2017년 여름이 될 무렵 어느 날부터 아빠는 허리가 아프다고 하셨다. 정형외과와 한의원을 다니셨는데 좀처럼 낫지 않아서 대학병원을 찾아갔다. 그냥 허리가 아프신 건 줄 알았는데 폐암이란다. 비소세포암으로 초기에 발견하면 수술로 완치할 수 있다고 하는데 아빠는 벌써 진행이 많이 된 상태라고 했다. 우리에겐 선택의 여지가 없었기에 항암치료를 시작했다. 항암치료를 한 번 받고 나서 운 좋게 신약 임상을 할 기회가 왔다. 아빠를 설득해 필요한 서류와 준비를 다 마쳤다. 그런데 신약 임상을 앞두고 아빠의 체력이 급격히 떨어졌다. 더는 기적을 바랄 수 없었다.

추석 전날, 집에 가시고 싶다는 아빠를 모시고 친정으로 갔다. 아빠가 편히 쉬실 수 있게 환자용 침대를 예약하여 빌렸다. 아빠는 입원할 때 걸어서 들어오셨는데, 이제는 우리의 도움 없이는 한 발짝도 움직이실 수가 없었다. 다리부종이 심해진 아빠를 부축해 휠체어에 앉혀드리는 일은 쉽지 않았다. 휠체어를 미는 오빠와 옆에서 걷던 나는 약속이나 한 듯이 똑같이 눈물을 흘리고 있었다. 아빠가 볼세라 얼른 눈물을 훔쳤다. 힘들게 도착한 집에서 아빠가 며칠 만이라도 편히 쉬시길 바랐지만, 하루 만에 구급차를 불러 응급실로 향했다. 아빠는 가장 강한 진통제와 영양제 수액을 맞으며 잠드셨다.

그 후로 아빠는 주무시기만 했었는데 어느 날부터 통증이 심해져 주무시지도 못하고 괴로움에 소리를 지르며 힘들어하셨다. "아프지 않으시게만 해주세요." 우리가 할 수 있는 건 이 말밖에 없었다. 진통제를 투여하고 패치를 붙여도 고통은 쉽게 줄어들지 않았다. 옆에서 고통을 지켜보고 있자니 우리의 마음도 너무 아팠다. 차라리 편하게 보내드리고 싶었다. '저렇게 아프고 힘든데 살아있는 게 무슨 의미가 있나.'라는 생각이 들었다.

아빠의 인생이 끝자락에 다다랐음을 느끼게 된 날, 나는 고모들께 연락을 드렸다. 우리 가족과 아빠의 여동생들은 아빠의 임종을 지키며 인사를 나눴다. 아빠는 의식이 희미했는데 엄마가 건넨 인사에는 눈을 감았다가 뜨며 눈인사를 보내셨다. 평소에 눈을 찡긋하며 '여보'를 두 번 연달아 부르는 아빠만의 사랑 인사 "여보여보, 사랑해!"라고 하시는 것 같았다. 아빠의 슬픈 눈에는 눈물이 가득 고였다. 드라마나 영화 속에서 봐왔던 죽음의 순간을 현실에서 마주하게 되었다. 오르락내리락하던 기계의 그래프가 일자로 바뀌더니, '삐-'하고 숨이 멎음을 알리는 소리가 났다. 엄마는 아빠의 손을 꼭 잡고 눈을 감겨드리며 "여보, 사랑해. 고마웠어." 마지막 인사를 하셨다. 청각은 끝까지 살아 움직이며 듣고 있다고 들었기에 아빠의 숨이 멎었음에도 우리의 인사는 계속되었다. "사랑해요. 고마워요. 이제 아프지 말고 행복하세요……." 우리가 너무 슬퍼하면 못 떠나실까 봐 눈물을 꾹꾹 참아가며 먹먹한 가슴을 부여잡고 작별했다.

아빠가 병원에 입원해 계시는 동안 많은 이야기를 나누었다. 일상적인 대화가 가능한 시기에 아빠가 만약 우리를 떠나시게 되면 우리가 어떻게 해드리면 좋겠는지 여쭤봤다. 여행을 좋아하시고 자연을 사랑하시던 아빠는 수목장을 원하셨다. 아빠께 사진을 보여드렸더니 마음에 쏙 든다고 좋아하셨다. 죽음을 앞에 둔 사람에게 이런 이야기를 하는 게 맞는지 끝까지 살 수 있다고 희망을 주는 게 맞는지 정답은 모르겠다. '자기 결정권'을 드리고 싶었다. 아빠가 원하시는 게 있을지도 모르는데 마음이 아프다는 이유로 쉬쉬하고 싶지 않았다. 엄마와 나는 그때 그 이야기 나눈 것을 정말 잘했다고 생각한다. 아빠는 사후에 어디로 가게 될지 미리 알고 떠나셨다. 그곳에 아빠와 친하셨던 셋째 고모부가 계신다고 알려 드렸더니 어딘지 안다며 더욱 좋아하셨다.

사람 좋아하시던 아빠의 장례식장엔 많은 손님이 오셨다. 가까이 사는 친척, 친구들은 물론이고 멀리에 사는 친척들까지 지방과 해외에서도 오셨다. 우리 친척들과 오빠 친구들이 2박 3일을 곁에서 함께 해주었기에 장례식장은 온기로 가득했다.

발인 날 아침 일찍부터 많은 사람이 함께했다. 버스 한 대가 모자라 승용차 몇 대가 함께 이동했다. 소나무 밑에 아빠의 유골함을 묻었다. 맑고 맑은 날씨에 구름 한 점 없는 가을하늘이 어찌나 높고 푸른지 설렐 지경이었다. 이상하게도 눈물이 나지 않았다. 너무나 행복해하고 계실 아빠의 모습이 떠올랐다.

삶의 끝자락에서도 유쾌한 인사를 남기고 가신 울 아빠.

내 카톡의 문구는 2017년 이후 지금까지도
'Don't worry, be happy!' 이다.
'아빠가 나에게 주문을 걸고 가신 건 아닐까?'
소소한 것에 행복을 느끼며
만나는 인연에 감사하며
하루하루를 소중하게 여기며
오늘을 살아간다.

Don't worry,

be happy!

[돈워리 비해피]

다시 콩깍지가 씌워지려나

불길한 예감은 비껴가는 일이 없다. 가족과 함께 떠난 7박 9일의 베트남 자유여행. 다낭에서 난생처음 가족 커플룩을 맞춰 입고 맛있는 음식도 먹고 행복한 시간을 보내며 2박 여행을 무사히 마쳤다. 그런데 여행 3일 차에 호이안으로 이동하는 길에 사건은 일어나고 말았다. 택시를 탔는데 무언가 느낌이 싸했다. 현지인 기사와 언어는 통하지 않았고, 베트남 특유의 향과 답답함이 밀려왔다. 멀미가 시작되었다. "멀미나." 나의 말에 시크한 남편의 한마디 "창문 열어." 창문을 여니 좀 살 것 같았다. 그런데 기사가 에어컨을 켜고 창문을 닫더니 유튜브를 켜놓고 무얼 하는지 정신이 없었다. 차도 마음에 안 드는데 운전까지 별로였다.

한참을 가다가 멀미가 심해져 오는 것을 느꼈다. 손이 저리면서 식은땀이 났다. "멀미나 죽겠어. 차 좀 세우라고 해. 토할 것 같아." 신랑은 "STOP. 멀미. carsickness."를 외쳤지만 끝내는 차를 세우지 않은 기사 때문에 나는 차 안에서 분수토를 했다. 순간적인 판단으로 긴 원피스를 쫙 폈고 옷으로 토를 다 받아냈다. 택시 기사는 야속하게도 내가 토하고 나서야 차를 멈췄다.

차가 멈추어 선 곳은 파란 대문집 앞이었다. 집 앞에 나와 서 있던 주인아저씨는 나를 보더니 눈이 튀어나올 듯이 깜짝 놀라셨다. 택시 기사가 주인아저씨께 사정을 이야기했더니 따라오라고 하셨다. 다행히 집 안이 아닌 마당에 문을 닫고 씻을 수 있는 공간이 있었다. 여행 첫날, 기분 좋게 쇼핑하며 산 긴 원피스와 아이보리색 니트 카디건은 토사물과 냄새로 뒤범벅이 되었다. 당장 버리고 싶었지만, 씻는 것도 모자라 더러워진 옷까지 버리고 올 수는 없었다. 대충 헹궈 비닐봉지에 담아 꽁꽁 묶어 챙겨왔다.

오래간만에 떠난 여행에서 기분은 엉망이 되었다. 예약한 마사지 가게로 이동 중이었기에 마사지를 받고 식사 후에 숙소로 이동했다. 머리가 깨질 듯이 아팠다. 나는 침대에 누워 오른손은 이마에 올린 채 기사를 원망하며 슬픔에 빠졌다.

욕실에 간 남편은 한참을 안 나오고 물소리만 계속 들렸다. 가보니 원피스랑 카디건을 빨고 있었다.
"버릴 거야."
"알맹 엄마가 맘에 들어 하는 옷이잖아."
난 속으로 냄새도 얼룩도 안 빠질 텐데 고생만 하는 게 아닌가 생각했다. 그런데 '이게 웬일?' 냄새와 얼룩이 다 빠지고 새 옷이 되었다. 우리나라 돈으로 환산하면 그리 비싸지 않은 재미 삼아 쇼핑한 원피스와 카디건이었다. 내가 토해놓고 역겨워서 버리려고 했던 냄새 나는 옷인데 주물럭주물럭 한참을 빨아준 남편이 고마워 울컥했다.

이 사람과 왜 결혼했냐고요?

"후광이 비춰서요."

사촌 동생의 소개로 2006년 1월 23일 월요일 저녁 6시에 지하철 2호선 홍대입구역 9번 출구에서 이 남자와 처음 만났다. 첫 만남 이후 서로 호감을 느끼고 그 주 토요일에 영화를 보기로 했다. 약속 전날, 친구와 약속이 있어 홍대 앞에 갔는데 거리는 사람들로 가득했다. 그 시절의 마지막 주 금요일 저녁에 홍대 앞을 가본 사람들은 알 것이다. 얼마나 많은 인파가 몰리는지 말이다.

그 수많은 사람 가운데 한 사람에게서 후광이 비췄다. 자주 보지 못하는 빛. 인연이라고 다 볼 수 없는 빛. 특별한 사람에게만 보인다는 그 빛 말이다. 월요일 소개팅에서 만난 그 남자였다. 나는 너무 놀라 그 자리에 얼음이 된 채로 멈춰버렸다. 무슨 영화도 아니고, 드라마도 아니고, 애니메이션도 아닌데 'CG 없이 이게 가능하다고?' 도저히 믿을 수가 없었다.

그 후로 내 머릿속엔 운명이란 생각으로 가득 찼고, 제대로 콩깍지가 씌워졌다. 그냥 모든 것이 다 좋아 보이고, 멋있어 보이고, '내 사람'이구나 싶었다. 경미한 교통사고가 난 하루 빼고는 데이트 후에 늘 집 앞까지 데려다준 그 사람과 그해 1월에 만나 10월에 결혼했다.

우리는 어느덧 결혼 17년 차에 접어들었다. 감성적인 나와 이성적인 그. 사람들과 어울리고 활동적인 나와 혼자만의 시간을 통해 에너지를 쌓는 그. 결혼할 때는 나와 다른 점에 끌렸다가 결혼하고 나서는 나와 다른 점 때문에 갈등이 생겼다. 콩깍지는 세월이 지나며 서서히 벗겨졌다.

내가 뜬금없이 여행을 가고 싶다고 했다. 퇴근해서 돌아온 내 남자의 한마디 "가자. 여행" 아들과 아내를 위해 자기의 취향이 아닌 여행에 흔쾌히 동행해 주고 모든 것을 완벽하게 준비해 준 남편. 함께여서 고맙고 행복했다. 실은 달라도 너무 다른 우리라서 여행에 걱정을 많이 했었다. 하지만 오묘하게 잘 맞았다. '17년 세월의 힘일까?' 베트남 여행에서 또 한 번 신기한 경험을 했다. 바나힐 골든브릿지에서 손 모형을 배경으로 아들과 남편의 사진을 휴대전화에 담았다. 분명 흐린 날씨에 구름 가득했는데 두 남자에게 후광이 비췄다.

'이런, 다시 콩깍지가 씌워지려나?'

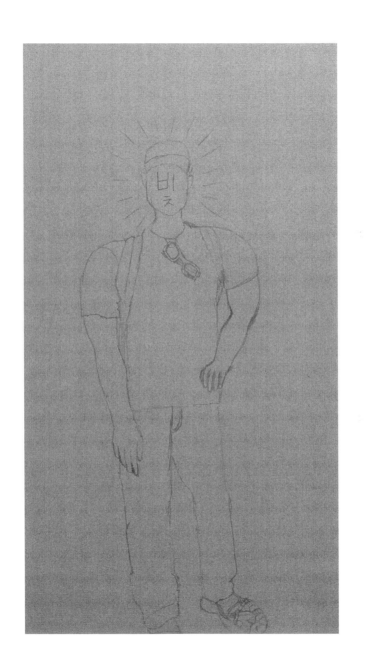

마법의 주문

"엄마, 나한테 할 말 없어?" 잠자리에 들기 전 6학년 아들은 애교 섞인 목소리로 나에게 꼭 묻는다. "사랑해." "나도." 내 지인들은 아들 손을 잡는 것은 물론 한 번 안아주는 것도 쉽지 않다고 한다. 그런데 우리 아들은 먼저 손을 잡아주고 안아주며 사랑 표현도 매일 해준다. 엄마의 잔소리가 싫기도 하고 엄마가 미울 법도 한데 늘 달콤한 인사로 마무리한다. 매일 자기가 먼저 사랑한다고 말한다며 푸념하더니 이제는 내가 먼저 사랑한다고 말하게 만들어버렸다. 그 인사 덕분인지 하루를 마무리할 때면 면 죄부를 받는 느낌이 들어 기분 좋게 잠자리에 든다.

2006년에 결혼하고 3년 만에 임신하게 되었다. 인공수정이나 시험관은 하지 않았고 운명에 맡겼다. 태명은 알맹이. 보통 3개월 까지는 잘 모른다고 하던데 임신하자마자 신기하게 배가 나오기 시작했다. 7개월쯤엔 거의 만삭인 것만 같았고, 만삭 때는 쌍둥이냐고 묻는 사람도 있었다. 나는 영종도에 있는 산부인과를 다니다가 서울에 있는 병원으로 옮겼다. 아무래도 친정 가까이에서 출산하는 것이 좋을 것 같다는 생각이 들었다.

2010년 3월의 어느 날 산부인과에 검진을 갔다. 나는 원장님이 제왕절개 수술 날짜를 정해주실 줄 알았고, 원장님은 내가 이야기할 때를 기다리고 계셨다. 예정일이 며칠 남지 않은 상황이었고 수술 날짜를 빨리 잡아야 해서 연락을 드리겠다고 했다. 혹여나 이상이 있으면 병원에 바로 연락하라고 하셨다. 검진을 마치고 혹시 몰라 나는 친정에 남고 출근해야 하는 남편은 집으로 갔다.

다음 날 오전 7시쯤 배가 이상했다. 배 속의 아기가 몸의 방향을 옆으로 바꿔 돌아누웠다. 순식간에 배가 '꿀럭'하더니 모양이 바뀌었다. 배속 아기는 어떻게든 자신이 세상에 빨리 나와야 함을 이 엄마에게 온몸으로 신호를 보내왔다. 9시가 되길 애타게 기다렸다가 병원에 전화했다. 나는 입원 준비를 해서 병원으로 갔고 남편도 급히 병원으로 왔다. 수술을 앞두고 필요한 여러 가지 검사와 준비 후에 떨리는 마음으로 수술대에 누웠다. 10부터 거꾸로 세면 잠이 들 거라고 했다.

잠에서 깨어났는데 아기를 품에 안겨주었다. 하얀 신생아 모자를 쓴 주름 하나 없이 탱탱하고 동그란 얼굴의 말똥한 아기가 내 품에 안겼다. 순간 너무 놀랐다. 신생아들을 많이 봐왔는데 신생아가 이렇다니 믿어지지 않았다. '이렇게 큰 아기가 내 배 속에 있었다고?' 4킬로에 태어나서 쌍둥이의 1.5배는 컸다. 아빠 닮은 예쁜 아기 낳기를 기대했는데 신랑은 아기가 타이슨 닮았다고 했다. 하루 이틀 지나자 다행히 너무나 어여쁜 똘똘한 모습으로 변해갔다. 나중에 들은 얘기였는데 수술을 시작하자마자 양수가 터져서 원장님 옷이 다 젖었다고 했다. 판단 잘해서 아기와 엄마가 고생 안 했다고 조금만 늦었어도 큰일 날뻔했다고 하셨다.

이렇게 소중하게 만난 귀하디귀한 내 자식. 내 자식은 내가 못 가르친다는 선배의 조언이 나에게는 해당되지 않는 줄 알았다. 워낙 아이들을 예뻐하고 아이들도 잘 따랐기 때문에 당연히 내 아이도 잘 가르칠 수 있다고 생각했다. 하지만 행복한 엄마와 아이가 될 거라는 나의 상상과는 멀어졌다. 아이가 커가면서 내가 바라고 생각하는 대로 흘러가지 않음을 받아들이게 되었다. 생각해 보니 뭐가 이렇게 바라는 게 많은지 부지런하면 좋겠고, 책도 많이 읽으면 좋겠고, 공부도 잘하면 좋겠고, 운동도 잘하면 좋겠고, 키도 크면 좋겠으니 이를 어쩐담. 어디서부터 뭐가 어떻게 잘못된 건지 매일 화내며 잔소리를 달고 사는 내가 너무 싫어졌다.

우리의 관계 회복을 위해서 어떻게 해야 할까를 고민하며 책을 찾아 읽고 유튜브 영상 강의를 보았다. 보고 있는 동안은 반성하고 '이러지 말아야지.' 하는데 현실에서는 '가치 육아'가 아닌 '입시 육아'를 하는 나 자신이 부끄러웠다. 입시와 경쟁 속에서 성적

으로 인정받는 이 사회는 오래전부터 지금까지 수없이 많은 이름
으로 변했는데 본질은 바뀌지 않았다. 이런 현실을 외면할 수 없
기에 나는 '좋은 엄마' 대신 '잔소리꾼 엄마'가 되었다.

우리 부모님은 늘 '넌 걱정 안 해. 잘될 거야.'라는 말씀을 해
주셨다. '부모님은 왜 걱정을 안 하셨을까?' 난 자식이 늘 불안
하고 걱정인데 말이다. '근자감'은 근거 없는 자신감이라는데 나
는 '긍자감'이 있는 것 같다. 긍정적인 자신감. '새로운 도전에 두
려움보다 설렘이 큰 것도 그런 말을 듣고 자라서가 아닐까?'라는
생각이 든다.

피그말리온 효과(Pygmalion effect)는 누군가에 대한 사람들
의 믿음이나 기대, 예측이 그 대상에게 그대로 실현되는 경향을
말하는 것이라는데 그 효과 덕분인지 부모님께서 해주신 짧은
'마법의 주문'으로 난 행복할 수 있었다. 그 좋은 말을 정작 나는
내 아이에게 해주지 못하고 있었다. 미안하고 또 미안해진다. 새
생명의 탄생에 기뻐하며 존재 자체로 소중했던 그날이 떠오른다.
엄마 자체를 사랑해 주는, 고마운 알맹씨.

넌 할 수 있어!
걱정하지 마!
다 잘될 거야!

세가아사

내가 소중하게 생각하는 모임이 하나 있다. 이름하여 **세가아사**(세상에서 **가장 아름다운 사람들의 모임**) 바로 우리 친척들의 모임이다. 어렸을 때부터 우린 자주 만나고 놀러 다니며 함께하는 시간이 많았다. 아빠는 1남 5녀의 외아들로 할머니를 모시고 살았다. 명절, 생신, 제사 때면 우리 집은 늘 북적북적했다. 성품 좋으셨던 할머니는 친척들에게 인기가 좋으셨다. 치매에 걸리셨을 때도 할머니를 만나러 딸, 사위, 외손주들이 자주 드나들었다.

우리 아빠는 친척들과 함께하는 시간을 소중히 생각하셨다. 우리 친척들은 거의 매년 단체로 여행을 갔다. 딸기밭, 포도밭, 중도(춘천), 관악산, 서해 등 여러 곳을 놀러 다녔다. 우리가 어렸을 땐 과자 따먹기, 줄다리기, 달리기, 보물찾기 등의 게임을 했다. 보물찾기에서 찾은 종이에 적힌 선물을 받을 때면 행복했다. 조금 더 자랐을 땐 어른 대 어린이 편을 나누어 젓가락으로 미니

축구공 굴려 반환점 돌아오기, 2인 3각 달리기(2명이 짝을 이루어 왼발과 오른발을 묶고서 달리는 것), 밥그릇 머리에 얹고 달리기 등을 했다. 머리에 얹은 밥그릇에 접착제라도 붙인 듯이 흔들림 없이 달려가시는 셋째 고모부의 모습엔 웃음이 터져 나왔다.

나보다 10살 많은 사촌 오빠 2명은 우리의 보호자가 되어 극장에 데려갔다. 친구가 한창 좋을 나이에 줄줄이 사탕이 되어 졸졸 뒤따라오는 동생들을 챙겨 준 오빠들이 고맙기만 하다. 원래는 대한극장에서 '로보캅'을 보려고 했는데 나이 제한에 걸렸다. 대신 한일극장에서 어린이 코믹 무술 영화 '칠소복(7小福)'을 보게 되었다. 2천 원의 행복이었다. 고마운 사촌 언니도 있다. 나와 7살 차이 나는 직장인 언니는 학생인 우리에게 맛있는 음식을 사주고 힘내라며 응원해 주었다. 이런저런 추억들이 쌓이다 보니 우리에게 친척은 친척 이상의 끈끈함으로 가족이나 마찬가지였다.

어른이 되어서는 사촌들끼리 여행을 다녔다. 시간을 맞춰 동해, 서해, 강촌, 춘천 등에 놀러 갔다. 낮에는 체육대회로 하나가 되고 저녁에는 바비큐 파티에 신이 났다. 여행에서 만난 다른 팀들은 이런 조합을 처음 본다며 신기해했다. 여행을 가기 전엔 준비해야 한다고 모이고, 여행지에 가서는 즐겁게 놀고, 다녀와서는 뒤풀이 모임을 했다. 생일이면 생일이라 모이고, 연말모임 송년회에는 선물을 하나씩 사와 선물 교환도 했다. 세가아사와 함께하는 시간은 늘 웃음꽃이 활짝 피었다.

얼마 전, 사촌 언니가 세상을 떠났다. 이십 대에 빨리 결혼했고, 지방과 해외에 가서 사느라 많이 보고 살지는 못했다. 그래도 친척들 행사에는 거의 빠지지 않고 먼 길 와준 언니였다. 바쁜 중에도 형부가 언니와 함께 와주셔서 반가움은 배로 더 컸다. 어릴 적 우리는 언니 덕분에 행복한 추억을 쌓았다. 쌍둥이 빌딩에 있는 사이언스 과학관에서 미래를 엿볼 수 있었고, 회사에서 준 복지혜택 덕에 단체로 수영장에 놀러 가서 신나게 놀기도 했다. 언니는 좋은 기회가 생기면 늘 우리를 1번으로 챙겨주었다.

언니의 장례식장에 '세가아사'가 모였다. 말하지 않아도 어떤 마음인지 알기에 말없이 서로의 눈물을 닦아주고 안아주었다. 형부와 조카들의 눈물을 보고 있자니 내 눈에도 눈물이 하염없이 흘렀다. 언니와의 이별에 언니의 가족들이 그 누구보다 슬프고 힘들겠지만, 잘 견뎠으면 하는 바람이다. 친척인 우리 '세가아사'의 존재가 언니의 남은 가족들에게 힘이 되었으면 좋겠다.

내 인생의 가장 많은 시간을 함께 보낸 친척들.
존재 자체로 삶에 커다란 힘이 됩니다.

세가아사 FOREVER!!!

—

"덕분에 행복하게 잘 살다 갑니다."

사촌 언니가 얼마 전 '인생은 아름다워'라는 영화를 추천해 줬다. 우리나라 최초의 뮤지컬영화라고 광고는 봤는데 그다지 흥미를 느끼지 못해서 리스트에 올려본 적이 없었다. 눈물, 콧물 다 빼며 봤다는 언니의 이야기에 '정말?'이라는 호기심으로 플레이 버튼을 눌렀다.

40대, 폐암, 죽음, 시한부 인생, 가족, 버킷리스트, 첫사랑, 잔치

무뚝뚝한 남편과 까칠한 아들딸을 위해 열심히 살아왔던 세연(염정아)은 시한부 인생을 선고받는다. 앞으로 살아갈 날이 두 달 밖에 남지 않은 세연은 세상 억울하다. 그녀는 마지막 생일 선물로 남편에게 자신을 설레고 행복하게 만들어줬던 첫사랑을 찾아 달라는 황당한 요구를 한다. 마지못해 남편은 그녀의 첫사랑을 찾아 그녀와 함께 전국을 여행하게 된다. 과거로 떠나는 여행 곳곳에서 우리 인생의 희로애락(喜怒哀樂)이 담긴 노래들이 흘러나오며 판타지로 변한다. 즐겨 부르던 추억 속의 노래들이 반가웠다.

'어쩜 저리 못됐을까?' 남편 진봉(류승룡)의 구박에 불끈불끈 화가 났다. 나는 화면 안으로 들어가 진봉을 한 대 쥐어박고 싶었다. 여행 내내 티격태격하지만, 곳곳에서 자신들의 찬란했던 시절 소중한 시간을 떠올리며 추억에 잠긴다. 보는 내내 나의 감정을 들었다 놨다 한다. 눈물 펑펑 쏟게 하다가 미친 듯이 웃게 만든다. 울다가 웃다가 코도 풀었다가 웃으면서 울고 있었다. 어느새 옆엔 반쯤 남았던 갑 티슈 한 통이 바닥을 드러냈다.

쥐어박고 싶은 마음이 들었던 진봉의 이야기에 먹먹해졌다. "사실은 내가 안 괜찮다. 내가 무서워서 진짜 방법이 없을까 봐 못 물어봤다. 미안해." 무뚝뚝한 남편 진봉은 아내에게 해줄 것이 없음에 슬퍼하고, 누구보다도 두려워하고 있었다. 까칠했던 아이들도 엄마의 죽음 앞에 슬픔을 주체할 수 없었다. 이번에는 남게 되는 사람들의 마음을 알기에 폭풍 눈물이 흘렀다. 만남이 있으면 헤어짐이 있는 법이지만 그냥 이별과는 다르게 다시는 만날 수 없는 죽음의 이별은 말로 다 표현할 수가 없다.

영화에서 진봉은 아내를 위해 큰 잔치를 열어준다. 세연은 하얀색 웨딩드레스를 입고, 남편이 마련한 잔치에서 과거의 소중한 인연들을 마주한다. 생각지 못한 뜻밖의 만남에 세연은 행복하다.

영화가 끝난 후에 투병 중인 아빠의 생일을 준비하던 그때의 시간이 촤라락 펼쳐졌다. 아빠가 돌아가시기 전에 '생일 잔치'를 하고 싶다고 하셨다. 인생의 시간이 얼마 남지 않았음을 아셨나 보다. 2017년 여름 79세 아빠의 마지막 생일 잔치에 우리 친척들 거의 모두가 모였다. 아빠는 그해 생일에 유독 다 모이면 좋겠다고 누구누구 연락했냐며 체크하셨다. 아빠는 가족, 친척들과 행복한 생일 잔치를 하고 나서 며칠 뒤 병원에 입원하셨다.

그리고 힘겨운 몇십 날들이 흐른 후, 구름 한 점 없는 맑디맑은 가을날 아빠는 우리 곁을 떠나셨다. '장례식에서는 만날 수 없는 소중한 인연들과 미리 인사를 나누시려고 했던 것은 아닐까?' 그날 찍은 셀카 사진 속에 웃는 아빠와 나를 보고 있자니 붕어빵처럼 똑 닮은 모습에 미소가 절로 지어진다.

나에게 긍정적인 마음을 심어주시고 사람의 소중함과 사랑을 알게 해준 아빠가 너무나 그립다. 결혼식 입장 연습을 한다고 집에서 손잡고 함께 걸었던 일, 노래방에 함께 가서 '해변의 여인'을 예약하시길래 <쿨>의 노래인 줄 알았다가 <나훈아>의 노래인 걸 알고 빵 터져서 웃었던 일, 아빠의 추억을 더듬어 찾아간 냉면 맛집에서는 "엄마도 같이 왔으면 좋았을 텐데."하고 엄마를 생각하는 아빠께 멋지다고 이야기한 일, 데이트를 나갈 때 어떤 옷이 예쁘냐고 양손에 들고 물어보면 "뭘 입어도 예쁘지."라며 한 벌 골라주시던 따뜻한 아빠의 표정. 늘 "우리 딸, 우리 딸"하며 안아주시던 울 아빠. 아빠가 떠나신 시월이 되면 나도 모르게 눈물이 흐른다. 그럴 땐 아빠의 사진을 꺼내어 본다. 웃고 있는 아빠의 사진을 보고 있으면 어느새 눈물은 사라지고 웃게 된다.

이 영화가 나에게 있어 더욱 특별한 이유는 아빠와 세연의 병명이 같다는 것도 있지만, 아빠가 돌아가시기 전 우리에게 해주신 말씀을 주인공 또한 마지막으로 지인들에게 전한다는 점이다. 그 마지막 인사가 여운으로 남아 마음 깊숙이 담아두었다.

"덕분에 행복하게 잘 살다 갑니다."

언니가 없지만 언니가 있다.

1남 1녀의 막내딸인 나는 언니가 없지만 언니가 있다. 친언니는 없지만 어릴 때부터 가족만큼이나 끈끈하게 지내는 사촌 언니가 있다. 셋째 고모의 딸인 언니는 나보다 3년 하고 일주일 먼저 세상에 태어났다. 오빠와 동갑내기인 언니는 무뚝뚝한 오빠와는 다르게 따뜻하고 다정했다.

부모님은 장사를 하셔서 집 근처에 사는 언니와 많은 시간을 보냈다. 언니가 좋아서 지나가다 슬쩍 들러 빼꼼 얼굴을 들이밀곤 했다. 어린 시절 주말에 언니네 집에서 자는 건 매우 즐거운 일이었다. 언젠가 언니한테 놀러 가서 공기놀이를 배웠다. 종일 얼마나 연습했던지 그날 밤에 나는 잠꼬대로 공기놀이를 했고 언니는 한참을 웃었다고 한다. 우리는 겨울이면 빨간색 장미가 그려진 밍크 이불을 덮고 앉아 귤을 까먹었다. 귤을 좋아하는 언니는 겨울이면 손이 귤색이 되었고, 그 손이 신기해서 나는 깔깔 웃었다.

중학생, 고등학생이 되었을 때도 우린 여전히 가까이에서 사이 좋게 지냈다. 어느 날 저녁, 말로만 듣고 영상으로만 봐왔던 그 일이 나에게 일어났다. 초경이 찾아왔다. 엄마는 가게에 손님이 많아서 자리를 비우실 수가 없었다. 당황한 나의 심장은 쿵쾅쿵쾅 뛰었다. 언니에게 달려갔다. 언니는 침착하게 필요한 것들을 직접 구입해서 알려주며 축하 인사를 건네주었다. 그 일 이후 언니는 더욱더 나에게는 없어서는 안 될 아주 소중한 사람이 되었다.

나는 어른이 되어서도 언니를 좋아했다. 친정에 갈 때면 근처에 사는 언니한테 들러 얼굴을 봤다. 아이가 둘이나 있어서 가뜩이나 힘들었을 텐데, 아이를 데리고 오는 사촌 동생이 쉽지 않은 손님이었을 것 같다. 그래도 언제나 늘 반겨주며 갓 지은 따뜻한 밥 한 끼 해주는 고마운 언니였다.

아빠가 세상을 떠나시기 전 병원에 계시는 동안 언니는 하루가 멀다고 전화하고, 병원에 찾아와 주고, 힘듦과 아픔의 시간을 함께 보내주었다. 아빠와 시아버지를 먼저 보낸 언니는 나에게 많은 이야기들을 해줬다. 떠나시기 전에 거짓말처럼 깨어서 또렷하게 말씀하실 때가 있을 거라고 했다. 그게 유언이니 잘 새겨들으라고 말이다. 잠만 주무시는 아빠였지만 우리 가족은 1초도 아빠 곁을 떠나지 않고 교대로 지켰다. 언니의 조언 덕분에 나는 아빠의 유언을 놓치지 않을 수 있었다. 아빠는 진짜 거짓말처럼 깨어서 또렷하게 말씀하셨다. "돈워리, 비해피!"

언니는 아빠가 돌아가시기 얼마 전 하얀 한복을 한 벌 사 들고 병원으로 왔다.

"외삼촌 돌아가시면 수의 입으시기 전까지 입고 있으실 수 있게 갈아입혀 드려."

"언니……."

나는 더 이상 말을 잇지 못하고 눈물만 흘렸다. 정신이 없어서 아무 생각도 할 수가 없었는데 언니의 따뜻한 마음에 울컥했다. 우리와 가까이 지냈던 간호사는 환자복 입고 다들 떠나시는데 어떻게 준비했냐며 깜짝 놀라셨다. 간호사는 고맙게도 "제가 깨끗하게 닦아드리고 갈아입혀 드릴게요."라며 옷을 받아 주었다. 언니 덕분에 아빠는 병원 냄새나는 환자복 대신 깨끗한 한복을 입으시고 편하게 주무실 수 있었다.

언니는 2박 3일 내내 우리 곁에서 궂은일을 도맡아 하며 함께 해줬다. 나는 고모부가 돌아가셨을 때 어려서 언니의 친구들에게 연락해 주는 일과 잔심부름만 할 수 있었다. 하지만 언니는 알지도 못해 부탁하지 못하는 일들까지도 알아서 해주고 챙겨줬다.

언니의 따뜻한 챙김과 깊은 마음 덕분에 힘들지만 잘 견뎌낼 수 있었다. 언니의 아빠 곁에 우리 아빠를 모시게 돼서 매번 찾아가면 꼭 우리 소식을 전해주고 아빠가 계신 곳의 사진을 보내준다. 고마운 마음 잊지 않고 나 또한 누군가에게 베풀 수 있는 삶을 살아가야겠다고 다짐해 본다.

와인의 맛과 멋을 알게 해준

아주 아주 오랜만에 청주에 사는 사촌오빠한테서 연락이 왔다. 코로나가 끝나갈 무렵이어서 해외에 증명서 없이 갈 수 있다는 지인의 이야기에 그냥 왔다가 비행기를 못 타게 됐다고 했다. 늦은 시간이기도 했고 당황한 오빠는 공항 근처에 사는 내가 생각났다고 했다. 나는 오빠를 위해 운서역 근처의 '골든 튤립 호텔'을 예약했다. 드디어 나도 오빠에게 무언가를 해줄 수 있다는 생각에 기분이 좋아서 들뜬 마음으로 오빠를 만나러 갔다.

나보다 7살 많은 오빠는 둘째 외삼촌의 아들이다. 어릴 적 외삼촌 댁 가족사진 속의 오빠는 큰 키에 연하늘색 청바지와 하얀 남방을 입고, 눈웃음을 짓는 모습이 인상적이었다. 나는 20대 초반에 홀로 여행을 꿈꾸었지만 허락되지 않았다. 그래서 생각해 낸 곳이 바로 청주 외삼촌 댁이었다. 외삼촌은 돌아가시고 안 계셨지만, 외숙모와 친했기에 편하게 갈 수 있었다.

나는 외삼촌 댁에 있는 시간이 너무 좋았다. 자고 싶으면 자고, 먹고 싶으면 먹고, 심심하면 책장에 꽂혀있는 책을 읽으면서 시간을 보냈다. 직장생활을 하던 오빠는 월급날이라며 방안에만 있던 나를 일으켜 세웠다. 나를 데리고 청주 시내로 갔다. 오빠는 피자헛에 가서 맛있는 피자를 사주고 옷을 선물로 사준다며 '헌트'에 데려갔다. 나는 하늘색에 남색 무늬가 있고, 떡볶이 단추가 달린 두툼한 니트를 골랐다. 얼마 전까지도 그 추억이 소중해 오빠가 사준 옷을 옷장에 간직하고 있었다.

우리는 멀리 떨어져 있다 보니 왕래를 자주 하지는 못했고, 경조사에서 만날 수 있었다. 몇 해 전 청주에 내려가 외숙모의 장례식장에서 얼굴을 본 게 마지막이었다. 청주에 간 김에 아는 난타 선생님을 만나고 왔는데, 알고 보니 사촌오빠와 아는 사이였다. 멋진 사람 둘이 '친척'이었냐며 깜짝 놀라셨다. 세상이 좁다며 오빠와 나도 놀랐다.

그 후로 가끔 연락하고 지냈는데 이렇게 연락이 오게 된 것이다. 20여 년 만에 오빠와 하는 데이트였다. 나는 상상하지 못했던 모습으로 나타난 오빠를 보고 깜짝 놀랐다. 어깨 정도 내려오는 파마머리를 머리띠로 봉긋이 넘겼고, 한쪽 귀엔 귀걸이도 했다. 함께 이야기를 나누는데 구수한 충청도 사투리에 마음이 편해졌다. "나 힘들게 하는 사람은 나쁜 사람인겨." "그런겨?" 그런 사람은 안 보고 사는 게 정신 건강에 좋다고 했다. 오빠는 부모님이 다 암으로 돌아가시고 생각이 많이 달라졌다고 한다. "인생 뭐 있냐."며 하루하루 행복하게 살려고 하고, 하고 싶은 거 하고 산다고 했다. 오빠의 환하게 웃는 얼굴에서 행복함이 느껴졌다.

오빠는 여행에서 돌아와 와인을 선물로 보내줬다. 시중에서는 사기 힘든 와인을 여러 병 보내줬고, 오빠가 보내준 와인 덕분에 친구와 함께 즐거운 파티를 했다. 나는 레드 와인 보다는 화이트 와인을 선호했는데 오빠가 보내준 와인의 깊은 풍미와 향을 경험하고 나서는 레드 와인도 좋아하게 되었다. 와인의 매력은 그냥 그럴 수 있는 분위기를 파티로 만들어 주는 듯하다. 그래서인지 와인이 있는 자리는 '맛짐'과 '멋짐'이 함께하는 특별한 날이 되는 것 같다.

오빠는 와인을 수입하여 청주에서 판매와 동시에 와인 카페도 운영 중인데 좋은 와인을 발굴하고자 이탈리아를 일 년에 한 달 이상 다녀온다. 현지에서 직접 보고, 듣고, 진심의 마음으로 생업에 종사하고 있다. 그뿐만이 아니라 사업과 관련해서 매주 서울에 올라와 강의를 듣는다. 외국과 우리나라의 맛집도 찾아다니며 크리에이터로도 왕성한 활동을 한다. 끊임없는 공부와 열정으로 멋지게 살아가는 오빠의 모습이 무척이나 보기 좋다.

얼마 전엔 오빠가 일본에 맛집 탐방을 하러 간다고 했다. 공항 가는 길에 들러서는 나에게 와인 다섯 병이 담긴 나무 상자를 안겨주고 갔다. 멋진 오빠가 주고 간 와인이라 그런지 더욱 특별하고 맛있게 느껴졌다. 돌아오는 명절엔 구매자가 되어 오빠에게 받은 '맛짐'과 '멋짐'을 다른 이에게 선물하려고 한다.

꽃 피는 봄이 오면 청주 무심천 벚꽃도 구경하고, 오빠가 운영하는 '와인코리아'에 직접 가서 진공관 300B, AR 스피커를 통해 나오는 귀한 음악에 빠져 오빠의 추천 와인을 맛보고 싶다.

내년 봄 예약입니다.

8살의 인생 여행

　나에게는 대만 남자와 결혼해서 대만에 사는 친척 조카가 있다. 조카가 있기에 용기 내어 '대만 한 달 살기'에 도전했다. 아들이 초등학교 1학년을 마치고 겨울방학을 맞이했다. 아들에게 중국어를 배우게 하고 다른 세상도 경험할 수 있게 해주고 싶었다. 조카가 사는 곳은 대만의 동남쪽에 위치한 동허[東河]라는 곳이다. 가오슝에서 기차를 타고 또 택시를 타고 이동했다. 동허[東河]는 산과 바다를 한 번에 볼 수 있는 아름다운 곳이다.

　대만은 한국의 추운 겨울과는 다르게 낮에는 얇은 옷이나 짧은 소매 옷을 입어도 되었다. 이름이 '동허[東河]'라 그런지 새벽에 해가 무척이나 일찍 뜨고 오후 5시 정도엔 깜깜해졌다. 하루가 정말 짧게 느껴졌다. 좋았던 점은 밥을 하지 않아도 된다는 것이었다. 그곳의 문화는 삼시세끼를 거의 사 먹는다. 한 달을 살다 보니 좋아하는 맛집도 생기고, 편의점 도시락의 간편함과 맛있음도 알게 되었다. 온종일 껌딱지처럼 붙어 다니는 아들과 나에게 동네 할머니들이 인사를 건네기도 했다. 어디 가냐고 물어보는 것 같았는데 어떻게 답해야 하는지 몰라서 '니하오' 인사만 했다.

8살 아들은 대만에서의 모든 게 신기했고 즐거웠다. 바닷가에서 쏟아지는 별을 본 게 가장 기억에 남는다고 한다. '별이 쏟아지는 해변으로 가요.'라는 노래 가사를 이해 못 했었는데 진짜 다른 표현은 생각나지 않았다. 한참을 떠나지 못하고 '별구경'에 빠졌다. 한번은 엄청나게 큰 무지개를 봤다. 땅에서 바다까지 펼쳐진 반원 모양의 커다란 무지개였다. 맛있는 음식을 먹으러 갔는데, 풍경에 혼이 빠져 음식 먹는 것도 잊을 정도였다.

그 밖에도 숲속에 있는 미니수영장 같은 온천, 멋진 풍경의 바닷가 산책, 가죽공방 카페, 세상 맛있는 날치알 소시지와 바비큐 파티, 중국어 공부, 작가님의 작업실, 그림 전시회, 잔치를 앞둔 집에 초대받아 간 일 등 잊을 수 없는 추억을 가득 안고 왔다.

주먹 크기의 만두를 파는 가게가 있었는데 우리의 아침은 만두와 밀크티였다. 만두에 얹어 먹는 매콤 소스는 일품이었다. 관광차가 하루에도 몇 번씩 만둣가게 앞에 섰다. 우리나라로 치면 '세상에 이런 일이'에 나오는 맛집 정도 될 것 같다. 만두가 너무 맛있었던 아들은 도화지에 꽉 차게 '웃는 만두'를 그려서 사장님께 선물로 드렸다. 사장님께서는 고맙다며 아들에게 용돈을 주셨다.

아들은 조카에게 매일 한 시간씩 중국어를 배웠다. 조카는 아들의 성조가 정확하고 잘한다면서 깜짝 놀랐다. 다른 분들도 아들의 발음에는 '엄지척'을 해주고 내가 따라 하면 '엄지다운'을 했다. 난 아무래도 언어에는 소질이 없는 듯하다. 그래도 알아듣기는 잘 알아들어서 조카가 놀랐다. 어떻게 알아듣냐고 하길래 '느낌적인 느낌?'이라고 답했다.

아들과 나는 '한 달의 시간 동안 무얼 하면 좋을까?'를 고민해봤다. 그림을 좋아하는 아들이라 그곳에서 보고, 듣고, 느낀 것을 그려 전시회를 하기로 했다. 주변에 고마웠던 분들을 전시회에 초대했다. <8살 한국 아이의 생애 첫 전시회>에 대만 손님들이 와주셨다. '소에 탄 오리'라는 제목의 그림에는 다들 웃었다. 오리가 아니라 '오리 닮은 새'라고 했다. 알맹 작가님의 멋진 작품은 사람들에게 인기 최고였다. 친척 누나 덕에 '8살의 인생 여행'을 하게 된 아들은 돈 주고도 사지 못할 귀한 시간을 선물 받았다.

과유불급(過猶不及)

  '오늘은 웬일일까?' 입이 짧은 우리 집 막내 쪼꼬미가 밥을 잘 먹는다. 나는 신이 나서 계속 먹였다. 그런데 갑자기 먹는 걸 멈추더니 괴로워한다. 입을 벌렸는데 '뜨악!' 하고 말았다. 슈퍼푸드가 한가득 있었다. 이런 큰일이다. 2층에 사는 크레스티드 게코 도마뱀 집사 선배님께 SOS를 보내야 할지 순간 고민했지만 1분 1초가 급했다. 급한 대로 쪼꼬미의 입가에 물을 적셔 주었다. 물이 몇 방울 들어가니 쪼꼬미가 고개를 세차게 흔들었다. 흔드니까 다행히 입 안에 있던 먹이가 조금 뿜어져 나왔다.

  그런데 아직도 쪼꼬미 입엔 먹이가 많이 있었다. 도대체 왜 삼킬 여유도 주지 않는지 내가 너무 원망스러웠다. 다시 쪼꼬미의 입가에 물을 적셔 주었다. 날름날름 핥더니 이번에도 세차게 흔든다. 아까보다 더 많은 양이 뿜어져 나왔다. 몸에 묻은 토사물을 닦아 주었다. "쪼꼬미야, 잘했어. 힘들었지?" 쪼꼬미의 머리를 쓰담쓰담 해줬다. 빵빵했던 턱 아래가 홀쭉해졌다. 혓바닥을 날름거리며 턱 아래쪽부터 눈까지 야무지게 핥아낸다. 예쁜 속눈썹과 똥그란 눈이 더욱 사랑스럽게 보였다. "휴~" 그제야 한시름 내려놓았다.

우리는 두 마리의 도마뱀을 키우고 있었다. 사정이 생겨서 도마뱀을 아들 친구네 잠시 맡게 되었다. 아들 친구도 도마뱀을 키우게 되었다. 아들은 친구네 도마뱀 사진에 반해 샵에 구경을 가자고 했다. 어느 정도 마음의 준비는 하고 갔다. 빈손으로 돌아올 리가 없을 것이라는 나의 예상은 적중했다. 도마뱀이 사진으로는 제법 크게 보였는데, 태어난 지 2주 정도밖에 안 된 아기 도마뱀이었다. 몸통 꼬리 다 합쳐서 새끼손가락 정도의 크기였다. 가로 20cm, 세로 15cm, 높이 10cm 정도의 흰색 반투명 통에 아기 도마뱀을 데려왔다.

우리 집 크레스티드 게코는 곤충을 갈아서 만든 '슈퍼푸드'를 물에 섞어서 케첩 농도로 먹이를 만든다. 그런 다음에 바늘 뺀 주사기로 먹이를 준다. 처음엔 입가에 살짝 묻히고 핥게 되면 그때부터는 날름날름 주사기의 먹이를 핥아 먹는다. 쪼꼬미는 2~3일에 한 번 먹이를 먹는데, 줄 때마다 잘 먹지를 않아서 걱정이 많았다. 가뜩이나 작은데 잘 먹지를 않으니 매번 신경이 쓰였다. 배가 고프면 먹을까 싶어서 하루 더 있다가 주었지만 마찬가지였다. 잘 먹고 잘 자랐으면 좋겠는데 내 맘처럼 되지 않았다.

크레스티드 게코는 주기적으로 탈피(성장함에 따라 낡은 허물을 벗는 일)한다. 신기한 건 탈피한 껍데기를 다 먹어 치워서 그 순간을 포착하지 못하면 탈피했는지 알 수가 없다. 그런데 쪼꼬미는 '탈피 중'이라고 티를 팍팍 낸다. 얼마나 힘들었을까 싶어 남은 탈피 껍질을 물에 불려 살살 벗겨내어 준다.

도마뱀의 매력은 점프력과 어디든 잘 붙는 발바닥의 흡착력에 있다. 탈피가 잘 안되면 흡착력이 떨어진다는데 그래서인지 쪼꼬미는 줄줄 잘 미끄러진다. 아직은 아기여서 그런지 더 많이 눈길이 가고 신경이 쓰인다. 먹는 것, 탈피하는 것, 매달리는 것 등 모든 것이 서툰 막내가 늘 안쓰럽다.

그렇게 안쓰러운 막내가 먹이를 잘 먹으니, 신이 날 수밖에 없었다. 조금이라도 더 먹여 보겠다고 주는 족족 받아먹는 대로 계속 주었다. 원래는 입에 먹이가 차면 고개를 들어 넘기는데 그때를 기다려 줬다가 주어야 한다. 그런데 아차 싶었다. '오늘따라 왜 그랬을까?' 위쪽에서 주다 보니 쪼꼬미가 계속 고개를 들고 있었다. 그만 주라고 말도 못 하고 계속 받아먹고 있느라 얼마나 고통스러웠을까?

'과유불급(過猶不及)'이란 사자성어가 뇌리를 스쳤다. '정도가 지나침은 미치지 못한 것과 같다.' 쪼꼬미가 오늘의 일로 거식증이 생기지 않았으면 좋겠다. **'엄마가 미안해.'**

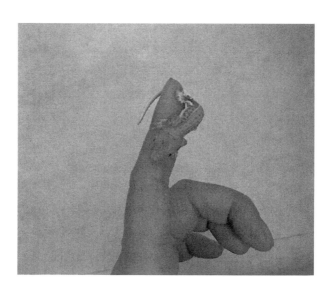

내 두 번째 자식 '카레'

아들이 열두 살 생일 선물로 동물을 입양하고 싶다고 했다. 나는 생명을 기르는 건 희생과 책임이 따르기에 신중히 결정해야 한다고 했다. 아들은 고양이나 강아지의 입양을 원했지만 나는 도저히 자신이 없었다. 아들은 갑자기 카멜레온에 대해서 검색하고 알아보더니 키우고 싶다고 했다. 하지만 카멜레온을 키우는 것도 집, 온도와 습도조절, 먹이 등 모든 것이 만만치 않았다. 내가 퇴짜를 놓자 아들은 우울한 얼굴로 시무룩해졌다.

그런데 '이게 무슨 일인가?' 우리 집 사정을 알기라도 한 듯 때마침 텔레비전에 크레스티드 게코 도마뱀을 키우는 가족이 나왔다. 밀웜(애벌레)이나 귀뚜라미가 아닌 슈퍼푸드(곤충을 갈아서 만든 도마뱀 먹이)를 먹일 수 있고, 작고 털이 없어 키우기에 무리는 없어 보였다. 크레스티드 게코를 입양하기로 했다. 우리 가족은 아들 생일날 차로 10분 거리에 있는 파충류 샵에 찾아갔다.

샵에 들어서자 다양한 종류의 파충류가 눈에 들어왔다. 아들은 신이 나서 이곳저곳을 돌아보며 구경했다. 키우고 싶어 했던 카멜레온 앞에서는 한참을 서 있었다. 사장님께 크레스티드 게코를 보여달라고 했다. 사장님은 도마뱀 여러 마리를 꺼내어 보여주셨다. 아들은 한눈에 느낌이 통한 친구를 선택했다.

우리는 멋진 집이 좋은 줄 알고 유리로 된 집을 샀다. 뒤판도 꾸며주고, 왔다 갔다 할 수 있게 가로세로 1cm 두께의 검은색 바도 유리 벽 사이에 걸쳐 주고, 바를 인조 풀로 감아줬다. 바닥에는 숨음 집도 넣어 주었다. 아들은 처음으로 키우게 된 도마뱀의 이름을 '카레'로 지었다. 도마뱀 '카레'와 우리가 처음 만났을 때 아들은 색깔 때문인지 '카레' 생각이 났다고 했다.

우리는 도마뱀을 데려오고 나서 잠시 외출했다. 돌아와 보니 카레의 머리 부분에 후드티를 입은 것처럼 흰색 껍질이 벗겨져 있었다. 나는 덜컥 겁이 나서 명함의 전화번호로 메시지를 보냈다. 탈피(성장하기 위해 허물이나 껍질을 벗는 것)라 걱정을 안 해도 된다고 했다.

카레가 이번엔 유리 벽에 거꾸로 매달려 꼬리가 직각으로 꺾여 있었다. 부랴부랴 카페에 사진을 올려 물어보니 플로피 테일 증후군(Floopy Tail Syndrome)이라고 했다. 사육장의 환경이 원인이라고 했다. 나는 유목과 인조 넝쿨을 사서 꾸며주고, 스펀지 막대를 꼬아 꼬리를 지탱할 수 있는 구조물들을 넣어 주었다. 플로피 테일 증후군이 발생하면 치료가 거의 불가능해서 꼬리를 잘라 주어야 한다고 했다. 크레스티드 게코는 꼬리가 잘리면 재생이 되지 않는다고 한다. '카레'의 꼬리가 잘린다고 생명에 지장이 있지는 않지만 그래도 꼬리를 지켜주고 싶었다.

집은 유리집에서 JIF 적재형 케이지로 교체해 주었다. 일반적인 플라스틱이 아닌 식품용 수지를 사용해서 안전하고, 환기구가 많아 괴사나 염증의 걱정을 하지 않아도 되었다. 유리집은 멋있었지만 청소할 때면 무거워서 스트레스가 이만저만이 아니었다. 바꾼 집은 가볍고 관리도 편해서 청결 부분도 마음에 들었다. 키친타월을 깔아주고 숨음 집도 넣어 주었다. 실용성을 따져보니 여러 면에서 바꾸길 잘했다는 생각이 든다.

몸길이 12cm 정도의 카레에게 먹이를 주기 위해 슈퍼푸드 가루를 물에 갠 다음 주사기에 넣었다. 나는 도마뱀을 만지는 게 자신이 없었고 아들이 자기 손등에 올렸다. 카레가 팔짝 뛰더니 내 팔로 날아왔다. 나는 깜짝 놀라서 팔을 휘저었고 카레가 나가 떨어졌다. 하마터면 큰일이 날 뻔했다. 잠시 내 팔에 머물렀는데 보드라운 느낌이 좋았다. 입가에 슈퍼푸드를 살짝 묻히고는 핥기를 기다렸다. 0.2ml 정도의 먹이를 먹이는 데 오랜 시간이 걸렸다. 카레의 집에 먹이 그릇을 놓아 자율급여를 시도했지만 먹지 않고 먹이가 말라 버려서 2년을 넘게 주사기로 먹이를 먹였다.

작년 여름쯤 카레가 숨을 쉬는 게 이상했다. 아래턱 부분이 심하게 부풀었다 가라앉고 피부색도 변해있었다. 파충류 병원을 알아보았다. 병원은 멀리 있고 병원비 또한 만만치 않았다. 병원 치료비와 도마뱀을 새로 입양하는 비용이 맞먹었다. 그래도 우리 가족은 카레의 상태가 안 좋아지면 병원에 데리고 가기로 했다. 나는 파충류 카페에 조언을 구했다. 조언에 따라 카레의 턱 밑에 약을 발라주고 하루 이틀 지켜보았다. 다행히 상태가 괜찮아져서 한숨을 돌렸다.

언젠가는 카레의 꼬리가 구불구불 해졌기에 인터넷에 검색해 원인을 찾아보니 MBD(Metabolic Bone Disease)라고 했다. 대사성 골 질환으로 칼슘이 제대로 급여되지 않거나 혹은 과다급여 되었을 때 나타나는 증상이었다. 파충류용 칼슘제를 사서 급여해줬더니 증상이 호전되었다. 이게 다가 아니다. 설사가 시작되면 유산균을 먹여야 했다.

크레스티드 게코가 털이 없고 작아서 키울만할 것 같다는 내 생각은 오산이었다. 생명을 기른다는 것은 애정은 물론 노력과 희생 없이는 안 되는 일임을 다시 한번 깨달았다. 도마뱀 집사가 되어버린 나는 하루에 두 번 분무기로 물을 뿌려주고, 2~3일에 한 번씩 먹이를 주고, 집 청소를 한다. 그리고 이리저리 왔다 갔다 점프도 할 수 있게 핸들링을 해준다. 우여곡절이 많았지만 첫째 도마뱀 카레가 건강하게 잘 자라주고 있음에 감사함을 느낀다.

아들은 동생이 생겼다는 자체로 기분이 좋아서 시간 나면 들여다
보고, 먹이도 챙겨주고, 연필을 쥐여주며 함께 공부하기도 했다.

　크레스티드 게코 가격을 알아봤더니 천차만별이었다. 성별, 크
기, 다양한 형질, 색감, 부모 개체의 퀄리티 등에 따라 분양가가
달라진다는 것을 알았다. '카레'는 다른 도마뱀에 비해 머리도 좀
크고, 핀도 들쭉날쭉, 무늬도 그리 또렷하지 못하다.

　'이런들 어떠하리, 저런들 어떠하리.'

우리는 이미 카레와 정이 들어버렸고 우리 눈엔 그저 예뻐 보이
기만 한다.

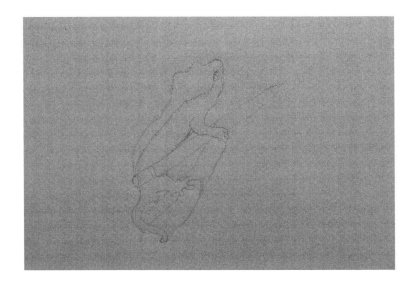

펫로스 증후군

정말 사랑하던 가족인 반려동물을 잃고 그 빈자리를 그리워하며 마음의 상처를 회복하지 못하고 계속 아파하는 경우를 '펫로스 증후군'이라고 한다. 사랑하는 그 무언가와의 이별은 많은 아픔과 슬픔을 가져온다. 더 이상 그 대상을 볼 수 없게 영원히 이별하는 일보다 더 힘든 일이 있을까?

첫째 도마뱀 카레에게 동생을 만들어 주고 싶다는 아들의 말에 한 마리를 더 입양하기로 했다. 카레보다 조금 더 색이 진하고 핀도 일정한 도마뱀 한 마리를 데려왔다. 이름은 카라멜. 크기가 작아서인지 더욱 귀엽게 보였다. 카라멜은 이마에 있는 'V' 무늬가 매력 포인트였다. 그런데 카레는 물이나 먹이를 먹으면 혓바닥이 선명한 붉은색을 띄는데, 카라멜은 보라색을 띄었다. 조금 걱정이 되긴 했지만 대수롭지 않게 생각했다. 카라멜이 죽게 된 이유가 혓바닥에 있는지는 모르겠다.

아들은 카레보다 작은 카라멜에게 유독 애정 표현을 많이 했다. 시간이 나면 수시로 들여다보고 사진도 찍어주고 핸들링을 해주며 놀았다. '카레'와 '카라멜' 두 녀석이 각자의 집에서 생활하지만, 혼자보다는 둘이 낫겠지 싶어 데려오길 잘했다고 생각했다.

카라멜을 입양한 지 8개월 정도 지났을 때였다. 눈 위 돌기(속눈썹처럼 생긴)가 아래로 향한 채 아들의 가슴 위에서 함께 자는 모습이 너무나 귀여웠다. 그런데 며칠 뒤부터 먹이를 잘 먹지 않았다. 점점 살이 빠지는 게 걱정이 되었다. 카라멜에게 물을 주겠다고 들어간 아들이 소리를 질렀다. 말로만 듣던 꼬짤(스스로 꼬리를 자름)이었다. 잘려 나간 꼬리가 팔딱팔딱 뛰었다. 나는 너무 놀랐지만, 꼬리가 잘려도 생명에는 지장이 없으니 걱정하지 말라고 아들을 안심시켰다. 카라멜이 안쓰럽고, 마음이 좋지 않았다.

그런데 며칠 뒤 먹이를 주러 방에 들어간 아들이 "엄마! 엄마! 어떻게 해!" 울먹이는 목소리로 나를 불렀다. 방으로 들어가 보니 카라멜이 죽어 있었다. 눈앞에서 카라멜의 죽음을 본 아들은 충격을 받았다. 아들 눈에서는 닭똥 같은 눈물이 뚝뚝 떨어졌다. 아들과 나는 생명의 죽음 앞에서 슬픔을 주체할 수 없었다.

슬픔은 쉬이 가시지 않았다. 아들은 친구의 생일파티 초대도 예전처럼 반갑지 않았다. 아들의 카톡 문구는 '인생이란 원래 슬픔을 품고 있지. 그 슬픈 일이 있어야 기쁨이 온다.'라고 쓰여 있었다. 여전히 대문 사진은 카라멜의 사진이었다. 그립지만 슬픔을 이겨내려는 아들의 마음이 느껴졌다. 이대로는 안 될 것 같았다.

친정엄마와 아들과 함께 현충일이 있던 연휴에 강릉으로 기차 여행을 떠났다. '강릉 단오 축제'에 가서 행사를 즐기고, 중앙시장에 가서 맛있는 것도 먹고, 안목해변에 가서 바다도 보고 왔다. "아들, 오늘까지만 슬퍼하기다." 나는 카라멜의 사진을 꺼내어 아들과 함께 보았다. 죽음의 슬픔보다 함께했던 시간의 행복과 즐거움을 느끼게 해주고 싶었다. "카라멜은 너를 만나서 행복하게 잘 지내다가 가는 거라서 고맙게 생각할 거야. 보라색 혓바닥을 가져서 아무도 안 데리고 갔을 수도 있어. 데리고 왔을 때 혓바닥 색깔이 다르다는 걸 알았지만 너는 다시 보내지 않고 키우기로 했잖아." 아들은 고개를 끄덕끄덕했다. 다음에 기회가 되면 카라멜을 닮은 도마뱀을 입양하기로 했다.

평균적으로 6개월 이상의 장기간 우울함을 겪게 되는 사람들이 '펫로스 증후군'인데, 아들은 다행히 여행 이후 다시 밝아졌다.

생명을 키우는 일은
쉬운 일이 아님을 또 한 번 깨달았다.
이별의 아픔과 상실의 슬픔도
감당해야 함을.

운명 같은 만남

2022년 여름에 제7회 코리아 렙타일 쇼(파충류 박람회)가 서울 SETEC에서 열렸다. 나는 친정엄마, 조카들, 아들과 함께 행사장을 찾았다. 아들은 사촌들을 만나는 시간이 너무 행복하다고 한다. 듬직하고 마음 깊은 규빈이, 톡톡 튀는 상큼 발랄 귀요미 혜빈이. 조카들을 보고 있자니 어린 시절의 '오빠와 나' 같았다. 엄마도 그때 생각이 나시는지 가끔 조카들에게 "대진아! 여진아!"라고 부르신다고 했다. 엄마는 징그러워서 파충류 구경을 하고 싶지 않다고 하시며 행사장 밖의 의자에 자리를 잡으셨다.

우리는 들뜬 마음으로 행사장에 들어갔다. 입양을 기다리는 크레스티드 게코, 레오파드 게코, 뱀, 거북이, 카멜레온 등 파충류 친구들이 정말 많았다. 신기한 세계였다. 크레스티드 게코 한 마리 가격이 몇만 원에서부터 몇천만 원까지였다. 티셔츠와 열쇠고리, 스티커 등 굿즈들도 많이 팔았다. 수요가 많다는 것에 또 한 번 놀랐다. 덕후들은 이것저것 한가득 사 들고 다녔다. 전국의 브리더(사육자)들이 한자리에 모인 행사라 아들과 조카들은 구경하는 그 자체로도 너무 좋아했다. 아이들은 신이 나서 OX 퀴즈에도 참여했는데 몇 문제 안 가서 탈락했다.

이곳저곳을 둘러보는데 아들이 한 부스 앞에서 멈춰 섰다. "엄마!" 그 뒷말은 말하지 않아도 알 수 있었다. 카라멜(우리 집에서 함께 살다가 무지개다리를 건넌 도마뱀)을 쏙 빼닮은 친구가 조그만 원형 통 안에 담겨 있었다. 가장 많은 참여가 이루어진 크레스티드 게코 부스들. 그 많은 도마뱀 사이에서 운명 같이 만난 아이. 아들은 카라멜을 닮은 아이의 입양을 원했다.

생명을 들인다는 게 쉬운 일이 아니기에 나는 마음의 갈등이 일었다. 순간 카라멜이 우리 곁을 떠난 후에 아들과 한 약속이 떠올랐다. 카라멜과 닮은 아이를 만나면 입양하기로 했던 그 약속. 다시 새 가족이 생겼다.

새로 입양한 도마뱀의 이름은 카스테라. 어쩌다 보니 카씨 형제가 되었다. 아들은 싱글벙글 신이 났다. 그런데 이 아이가 잘 안 먹는다. '적응하려면 시간이 필요한 거겠지.'라는 생각이 들었다. 카스테라는 한동안 잘 자라지 않고 제자리걸음이었는데 막내 쪼꼬미가 온 이후로 먹이를 잘 먹는다. '둘째의 본능이었을까?' 둘째 카스테라는 어느새 첫째 카레와 크기가 거의 비슷해졌다.

카스테라는 한 성질 하기도 하고 까칠하다. 자율급여를 시도했지만 실패했다. 카스테라가 뭐 때문에 화가 난 건지 모르겠는데 배스킨라빈스 핑크 숟가락에 슈퍼푸드를 주면 아주 무섭게 달려들어 숟가락을 씹어 먹을 기세다. '카레'는 숟가락에 있는 먹이를 혓바닥으로 핥아 먹는데 말이다. 카스테라가 풍기는 싸한 느낌의 눈초리와 거친 행동에 꺼내기가 무서워서 핸들링도 자주 못 해준다. 남성적인 카리스마. 가지런한 편과 또렷한 무늬가 매력적인 카스테라가 조금 무섭긴 하지만 잘 자라고 있어서 다행이다.

'카스테라도 사춘기인가?'

다정했던 초등학생 시절이 그립게 시크해진 아들과 어딘가 모르게 닮아있다. 건강하게만 자라다오.

♥ 소중한 내 친구들   조은호

머리를 빗을 때

빗을 수 있게 해주는 빗 처럼

밥을 먹을 때

먹을 수 있게 해주는 숟가락 처럼

보면 볼수록

재미있는 TV처럼

나를 도와주고

나를 기쁘게 만들어주는

소중한 내 친구들 ♥

너희들이 있어 나는 정말 행복

2부 - 소중해요 -

5학년 5반

　초등학교 시절 가장 기억에 남는 5학년 5반 선생님. 5학년 담임 선생님이 좋아서 초등학교 선생님을 꿈꾸었다. 나는 장래 희망란에 언제나 '선생님'이라고 썼다. 20대의 젊은 선생님은 지금껏 만나왔던 선생님들과는 아주 달랐다. 학교생활은 즐거움의 연속이었다. 선생님은 반 친구들이 돌아가며 같은 조가 될 수 있도록 주기적으로 자리를 바꿔 주셨다. 그리고 반 친구들 모두가 조장을 할 수 있게 해주셨다. 우리 반은 조별로 함께 하는 활동이 많았다. 함께 시장조사를 나가고, 모여서 연극연습을 하기도 하고, 발표수업을 준비했다. 1년 동안 거의 모든 친구와 같은 조원이 되다 보니 두루두루 친해질 수 있었다. 노래 가사 바꾸기, 책 이어 읽기 등 미션을 주고 조별로 점수 매기기도 했다. 선생님은 '선생님, 우리 선생님' '할아버지 시계' 노래와 '누가 꿀떡을 먹었나? 항아리에서 - OO이가 먹었지. 항아리에서' 놀이 등도 가르쳐 주셨다. 우리끼리 학급 회의를 진행하고 반에는 우체통이 있었다.

편지를 쓰고 봉투에는 우리만의 우표를 만들고 붙여 서로의 마음을 전하기도 했다. 우리 반은 선생님의 열정과 에너지 덕분에 하나가 되었고 늘 행복했다.

5학년 5반 친구들은 5학년이 끝나고 반창회를 했다. 시간이 지나 멈춰졌지만 다 같이 모여서 방방을 타고 떡볶이를 먹었다.

20대가 되었을 때 아이러브스쿨(학교 친구와 선후배를 찾아주는 소셜 네트워크 서비스)을 통해 '동창 찾기'가 한참 유행이었다. 어느 날 5학년 친구에게 메시지가 왔다. 신림동에서 석훤이, 윤정이, 나 이렇게 셋이 만났다. 석훤이는 5학년 때 외국을 가게 되었는데 마지막 짝꿍이 나였다. 윤정이는 4학년 말에 전학을 와서 기억나는 친구는 5학년 아니면 6학년 친구였다. 비교적 기억력이 좋았던 나. 우리 셋은 머리를 맞대고 친구 찾기에 들어갔다. 제법 많은 친구를 기억해 냈다. 선생님과도 연락이 닿았다.

우리는 신림동에서 첫 모임을 했다. 30명이 넘는 친구들이 모였다. 다들 알아보며 인사를 했지만 나를 기억하지 못하는 친구들이 제법 있었다. 거의 모든 친구를 기억하고 계신 선생님조차 나를 못 알아보셨다. 나는 무척이나 존경하고 그리워했던 선생님이 기억을 못 하시니 서운함이 밀려왔다. 인터넷 사이트의 비밀번호 찾기 질문으로 <가장 기억에 남는 선생님 이름은? OOO 선생님>을 택할 정도로 선생님에 대한 마음이 컸었는데 말이다. 나의 얼굴은 동글동글 까무잡잡 오동통 무쌍꺼풀이었는데 스무 살 넘어 생긴 쌍꺼풀 때문인가 싶기도 하고, 그 당시 유행했던 김혜수 화장을 하고 나타나서 못 알아봤나 싶기도 하다. 아니면 나의 성격이 바뀌어서 더욱 그랬을지도 모르겠다. 선생님께서는 옛 사진을 보시더니 기억난다며 무척이나 미안해하셨다. 선생님께서는 만남 이후에 나의 어린이집 제자들 발표회 소식을 듣고 꽃다발을 사 들고 행사장에 찾아와 주셨다. 나의 선생님이 나의 제자들을 보러 와주셨다는 게 꿈만 같았다.

우리는 첫 만남 이후 자주 모였다. 나는 직장생활을 하면서 몸과 마음이 지치고 힘들었다. 하지만 친구들이 있어 힘이 났다. 스트레스 왕창 받고서 돌아가는 길에 친구들을 만나면 하루의 마무리는 웃으면서 할 수 있었다. 의리의 친구들은 기쁜 일, 슬픈 일 모두 함께했다.

우리 부모님이 하시는 곱창집은 우리의 최애 모임 장소였다. 소 곱창과 차돌박이를 맛있게 구워 먹고 나면 김치와 고기와 부추를 잘게 잘라 밥과 함께 볶는다. 그런 다음 밥 위에 참기름을 두른 후 주걱으로 밥을 팬에 눌러 김 가루 솔솔 뿌려 먹으면 꿀맛이었다. 친구들은 지금도 그 맛을 잊지 못한다며 먹고 싶다고 했다. 부모님이 가게를 정리하시고 나서 만남의 장소는 바뀌었다. 매년 모임을 하다가 코로나로 인해 만남이 멈췄다. 시간 또한 멈춰버린 듯했다. 우리는 단체방에서만 서로의 안부를 묻고 지냈다.

드디어 우리는 2023년에 다시 만났다. 이름하여 '얼굴 까먹지 않기 모임!' 시간은 왜 이리도 빨리 가는지 만나자마자 헤어질 시간이 된 것 같았다. 친구들은 에세이를 쓸 거란 나의 이야기에 '우리 이야기'도 담으라며 추억들을 떠올려준다. 친구 중 한 명이 운전하는 자동차를 타고 밤에 떠난 여행길에 갑자기 도로 색깔과 같은 색의 벽이 나타나 죽을뻔했던 일, 12월 마지막 날 롯데월드에 단체로 가기로 해놓고 2명만 나온 일, 2명의 결혼식이 겹쳐서 오전 오후 바쁘게 다녔던 하루 등 오랜 시간 함께 한 만큼 추억거리도 가득했다.

<만인의 연인 윤정이, 센스 만점 현이, 메리 해피 맨 석훤이, 스마트맨 중환이, 스포츠맨 순익이, 프랜 대디 태우, 순수 청년 무승이> 중년의 친구들이 내 눈에는 10대의 그 모습 그대로 느껴진다.

1987년 5학년 5반. 좋은 선생님을 만나 행복했던 시간. 인생의 꿈을 가질 수 있게 해주신 선생님. 같은 선생님을 좋아한다는 것 하나만으로도 통하는 우리. 좋은 선생님과 좋은 친구들을 만난다는 것은 인생의 큰 행운인 것 같다. 연락이 끊겨 알 수 없는 선생님의 안부가 궁금하다. 잘 지내고 계시죠?

"선생님! 보고 싶어요."

오빠 친구도 다 내 오빠

어릴 적 내 사진을 보면 까무잡잡 오동통 못난이 인형처럼 생겼다. 이런 못난이 임에도 불구하고 오빠 친구들에게 귀염을 받을 수 있었던 건 오빠들이 다 막내였기 때문이다. 유일한 여동생이라 가능했다.

오빠 친구들은 우리 집에 자주 놀러 왔다. 오빠들이 놀러 오면 나는 라면을 끓여주고 심부름도 잘했다. 동생이 귀찮은 우리 오빠와는 다르게 오빠 친구들은 친절했다. 오빠들이 대학 시험을 볼 당시에 나는 오빠들에게 엿을 사줬다. 딱 붙으라고 엿을 선물했는데 그때에는 엿을 머리에 쳐서 깨기도 했다. 내가 산 엿이 너무도 단단한 엿이어서 재춘 오빠 머리가 깨질 뻔했다. 난 어쩔 줄 몰라 했고 착한 오빠는 혹이 크게 났음에도 화내지 않고 괜찮다고 했다. 지금까지도 착한 재춘 오빠에게 미안함이 남아있다. 태선 오빠는 내가 써 준 편지 덕분에 군 생활이 편했다고 했다. 내 생일이면 오빠들이 선물을 해줬다. 다정했던 한 오빠는 매년 생일 선물을 사주었는데, 멀리 지방에 가 있었을 땐 소포로 선물을 보내주었다. 그리고 나에게 용돈을 주는 오빠도 있었다.

나의 대학 졸업식에 가족과 친척들, 내 친구 두 명과 오빠 친구들 세 명이 와주었다. 우리 오빠는 카메라맨이 돼서 열심히 사진을 찍어주었다. 오빠들은 신이 나서 사진 곳곳에 엑스트라로 출연했다. 오빠들은 주인공인 내가 빠진 뒤풀이에 친척들과 내 친구들과 함께했다. 그들은 내 가족이나 마찬가지였다. 오빠는 물론 오빠 친구들은 나의 결혼식과 아들 돌잔치에도 함께 해줬다.

선영 오빠는 춘천에서 대학교에 다니며 칵테일바 아르바이트를 했다. 친구들과 춘천 여행을 갔는데 오빠가 놀러 오라고 했다. 지금 생각해 보면 그 당시에 칵테일 가격이 비쌌는데 4명이나 갔으니 이런 민폐가 어딨을까 싶다. 하루 일당 이상의 금액이 완전히 날아갔다고 생각하니 미안함이 밀려온다. 칵테일 한 잔에 얼굴이 빨개진 친구들과 오빠와 함께 찍은 사진이 아직 앨범에 꽂혀있다.

진환 오빠에게는 아동국악강사 시절에 생활한복을 입고 에코백을 메고 찾아간 적이 있다. 회사 사람들이 '학생운동'을 하는 사람이냐고 물어봤다고 했다. 흔치 않은 옷차림이었기에 당황한 오빠는 '이 아이를 데리고 어디를 가야 할까?'를 고민했다고 한다. 고민 끝에 데려간 곳은 산채비빔밥과 청국장 등을 파는 초가집 같은 식당이었다. 그런데 식당에 들어선 순간 그곳에 일하시는 분들이 나와 비슷한 옷을 입고 있어서 한참 웃었던 기억이 난다.

진욱 오빠를 만나러 사당 근처에 간 적이 있다. 너무 조용한 오빠였는데 조잘조잘 떠드는 나에게 조곤조곤 대답을 잘 해줬던 기억이 난다. 작년에 만났을 때 오빠가 나오기 싫었는데 부른 건가 싶어서 미안했다고 했다. 그런데 의외의 대답을 들었다. 동생이 찾아와서 너무 좋았고, 회식 갔을 때 가장 좋았던 곳으로 나를 데려간 거라며 장소까지 알고 있었다. 나는 잊어버린 기억의 조각을 오빠는 기억하고 있었다. 밥 사달라고 온 여동생이 나밖에 없어서 기억이 난다고 했다. 진욱 오빠 결혼식 날은 바쁜 오빠 대신 내가 참석하기도 했다.

종우 오빠는 유쾌하고 활달함이 매력이다. 고등학생 때 종로에서 종우 오빠가 연극을 한 기억이 난다. 나는 내 친구 두 명과 오빠들과 함께 종우 오빠를 보러 갔다. 무대에는 배우들만 서는 줄 알았는데, 학생인 오빠가 올라가서 연극 하는 모습을 보니 신기하고 멋있었다. 아빠 환갑잔치에서 우리 오빠는 엄마를 업고, 종우 오빠는 아빠를 업었다. 엄마와 아빠를 업은 오빠들은 행사장을 한 바퀴 돌았다. 아빠는 듬직한 아들이 많다며 좋아하셨다.

갓 결혼한 정서 오빠가 신혼집에 초대했는데 너무 친한 나머지 친구 옥이와 놀러 간 적도 있다. 진짜 시누이도 아닌 '남편 친구

여동생'이 친구와 함께 놀러 왔는데 반갑게 맞아준 미영 언니가 고맙기만 하다. 미영 언니는 우리 아빠의 환갑잔치에서 '사랑하는 영자씨'를 멋지게 불러줬고, 결혼 전이었던 우리 오빠의 여자 친구로 오해받기도 했다.

　나는 오빠들이 이렇게나 예뻐해 주니 오빠들과의 만남이 즐겁고 좋았다. 하지만 우리 오빠는 껌딱지 동생을 떼어 놓으려 비밀리에 집을 나섰다. 그런데 정말 희한하게도 오빠들이 모이는 날이면 꼭 누군가를 길에서 만나게 되었다. "가자." 내 손 잡아끄는 오빠 친구를 따라가면 우리 오빠는 "여진이 또 누가 데려왔어?"라며 어이없어했다. 한두 번도 아니고 반복되자 나중에는 우리 오빠가 포기를 했다. 오빠들의 만남 자리가 길어지면 우리 오빠를 제외한 오빠 친구들이 2인 1조가 돼서 집까지 바래다주었다.

　이런 추억의 시간은 먼 과거가 되었다. 다들 결혼하고 각자의 삶을 살아내느라 바쁘고 힘든 와중에도 서로 챙겨주고 힘이 되어 주는 오빠들을 보니 뭉클하다. 늘 젊을 것만 같은 오빠들이었는데 오십이 된 오빠들의 나이가 믿어지지 않는다. 오빠들이 지금도 "여진이 서울 나온대." 하면 기꺼이 나와서 자리를 함께해 준다. 앞으로도 쭉 오래오래 좋은 오빠들로 남아 주기를 욕심내어 본다.

　　"그루터기 오빠들! 못난이 여동생 예뻐해 줘서 고마워."

내 인생 최고의 친구

인천대교는 송도국제도시와 영종도를 연결하는 다리로 교량의 전체 길이 21.38km, 우리나라에서 가장 긴 다리이다. 이 긴 다리를 내 얼굴의 화장을 위해서 2개월 동안 무려 6번이나 건너와 준 친구가 있다. 나는 작년에 고전무용을 시작했다. 올해 발표회를 시작으로 공연을 많이 하게 되었다. 무대화장은 평소 화장과는 달라서 걱정이었는데, 친구가 흔쾌히 시간을 내주었다. 오랜 친구이기에 나 보다 나를 더 잘 아는 친구다. 그래서인지 화장도 내 맘에 쏙 들게 해준다. 코앞도 아닌 먼 거리를 오게 되어서 미안해하면 친구는 "멀지도 않은데 뭘."이라고 말하면서 이른 시간에 공연이 있어도 화장을 해주러 온다.

내 초등학교 친구 옥이. 같은 아파트 1층과 3층에 살고, 6학년 때 같은 반이 되면서 친해졌다. 그녀의 어릴 적 별명은 '리틀 황신혜'로 큰 키에 예쁜 얼굴은 어디에 가도 빛이 났다. 같은 중학교에 가게 되어서 등굣길은 늘 함께였다. 시험 기간에는 함께 공부하고 주말에는 파자마 파티도 했다. 우리는 고등학교도 함께 가게 되었다. 쉬는 시간이면 우리 반에 있지 않고, 다른 반인 그녀의 교실에 가서 많은 시간을 보냈다. 게다가 내 하루의 마무리는 그녀에게 들러 얼굴 보기였다.

우리는 대학생이 되어서도 함께였다. 유아교육과에 다니는 나는 다른 것들은 잘했지만 손재주가 없어서 만들기를 할 때면 한숨부터 나왔다. 밤을 새워야 하는 날들이 많았다. 너무 힘든 날은 손재주가 뛰어난 그녀에게 들고 가서 어느새 나는 잠이 들어버린다. 아침에 일어나 보면 그녀가 나의 만들기 숙제를 뚝딱 끝내 주었다. 나의 졸업에는 그녀의 지분이 어느 정도 차지하고 있다.

내 눈에는 너무 아름다운 그녀라서 평범하게 지내는 게 아까웠다. 나는 사진과에 다니는 친한 언니에게 부탁해서 옥이의 프로필 사진을 찍게 했다. 그러고 나서 옥이 몰래 '슈퍼 엘리트 모델 선발대회' 원서를 냈다. 1차 합격 연락이 왔다. 계속하여 올라가더니 본선에 진출하게 되었다. 나는 대회 날 현장에서 응원하게 되었다. 옥이의 소개 차례가 다가오자, 내 심장이 두근두근 터질 것만 같았다. 그런데 '자기소개 상이 있었다면 최고상을 받지 않았을까?'라는 생각이 들 정도로 완벽한 소개였다. 그녀는 무대에서 더욱 빛났다. 옥이는 이날 네티즌들이 뽑아준 인기투표에서 1등을 했고 '슈퍼 엘리트 모델'이 되었다.

일반인 같지 않은 포스. '자전거 탄 풍경'의 콘서트를 옥이와 함께 보러 간 적이 있었다. 공연이 끝나고 나오는데 중국 방송에서 그녀에게 인터뷰를 요청했다. 중국 사람 눈에도 그녀가 예뻐 보였나 보다. 중년인 지금도 그녀와 함께 있으면 그녀가 예쁘다고 뭐 하는 사람이냐며 지인들이 묻곤 한다.

우리는 장난삼아 사주를 찾아보고 공유했다. 사주가 똑같이 나왔다. '말하지 않아도 통하는 이유가 거기에 있었나?'라는 생각이 들었다. 어떤 일을 겪을 때면 굳이 말하지 않아도 될 정도로 생각하는 게 비슷했고, '이유가 있겠지.'라는 믿음도 강했다. 30년이 넘게 한 번도 싸워본 적이 없다. 옥이는 내가 무기력에 빠져서 헤어 나오지 못할 때면 잔소리는 접어 두고 맛난 음식을 사 온다. 밝은 옷을 사다 주며 기분 전환할 겸 입고 외출하라고 한다. 옥이가 왔다 가면 희한하게도 다음날 움직일 힘이 생긴다.

얼마 전 옥이가 그런다. "우리 옛날엔 서로가 무조건 1번이었는데……." 지금은 상황이 좀 달라졌지만 그래도 그 마음만큼은 변하지 않았음을. 어렸을 적에 사람들은 옥이가 우리 엄마 딸이냐고 물어봤다. 내 눈에도 예쁜 얼굴, 예쁜 마음을 가진 두 사람은 닮아 보였다. 그래서인지 우리 엄마와 옥이는 서로 좋아한다. 옥이는 공돈이 생겼다고 엄마와 맛있는 거 사 먹으라며 용돈을 보내줬다. 중년의 나이에 친구에게 받는 용돈이라니 절로 미소가 지어진다. 그녀의 따뜻한 마음으로 우리 모녀(母女)는 행복해졌다.

얼굴도 예쁜데 마음씨까지 예쁜 내 친구 옥이. 곁에 있어 주고, 있는 그대로 나의 모습을 인정해 주고, 내가 발전할 수 있도록 밀어주고, 항상 응원해 주는 함께 있으면 행복한 친구.

'친구는 또 다른 자기 자신'이라는 아리스토텔레스의 말처럼 너는 나라고 할 수 있을 만큼 소중해. 네가 없는 삶은 상상도 하지 못해. 진심으로 네가 잘 살고, 행복하게 살고, 즐겁게 살길 원하고 응원해.

"사랑해! 친구야."

선물 같은 하루

아빠의 장례식장에 왔다가 집에 간 친구가 다시 왔다. 놓고 간 물건이 있어서 온 줄 알았는데 뭐 도울 일이 없냐며 쌍둥이를 재우고 늦은 밤 다시 온 것이다. 나는 그녀의 아빠가 돌아가셨을 때 소식이 끊겼을 때라 장례식장에 가보지도 못하고 마음 또한 전하지 못했다. 나에게 서운할 법도 한데 이렇게까지 마음을 써주니 미안함도 고마움도 더 컸다.

5학년 친구 윤정이. 윤정이 부모님은 슈퍼마켓을 운영하셨다. 슈퍼마켓 위의 다락방은 우리의 아지트였다. 그곳에서 함께 숙제와 공부를 하고, 맛있는 간식도 먹었다. 우리는 다른 동네에 살았는데 나는 윤정이가 보고 싶으면 평일이나 주말에 상관없이 언제든지 자전거를 타고 놀러 갔다. 그녀는 언제나 나를 반겨주었다. 학년이 바뀌어도 자주 놀러 갔는데 중학생이 되어서는 다른 학교에 가게 되었고 서서히 멀어졌다.

친구 찾기가 한창 유행이었던 시절 '아이러브스쿨'을 통해 연락이 닿아 다시 만나게 되었다. 앨범에서 튀어나온 것 같은 윤정은 하나도 변한 것이 없었다. 20대에 다시 만난 우리는 지금까지 만남을 이어오고 있다. 여럿이 모이다 보면 누군가는 불편하고 누군가는 어렵기도 한데 윤정이는 '만인의 연인'으로 우리 모임의 '유재석' 같은 존재였다. 나는 모임을 주선할 때면 윤정이에게 먼저 물어보고 괜찮다고 하면 추진했다. 아무도 안 나오면 우리 둘이 만나자고 했다. 그렇게 둘이 약속하고 친구들에게 연락하면 10명이 넘게 나왔다. '훗! 우리의 인기는 정말~'

5학년 친구들은 우리 부모님의 가게에서 모임을 자주 가졌는데, 그녀는 빈손으로 온 적이 없었다. 우리 부모님은 살가운 윤정이를 예뻐하셨다. 우리는 같은 해에 임신하게 되었고 윤정이는 1월에 쌍둥이 남매를 낳았다. 나는 3월에 출산 예정이라 배가 볼록한 모습으로 쌍둥이를 만나러 갔다. 어렵게 고생해서 낳은 아기들이라 만나서 축하해주고 싶었다. 아기를 낳고 나면 만나기가 쉽지 않을 것 같았다. 아들은 엄마를, 딸은 아빠를 쏙 빼닮은 이란성 쌍둥이의 모습이 신기했다.

몇 해 전 평일 오전에 윤정에게서 전화가 왔다. 나를 만나러 온다고 했다. 직장에 있어야 할 그녀의 갑작스러운 연락에 놀랐지만 반가움의 마음이 컸다. 그녀를 기다리며 맛집 검색에 들어갔다. 을왕리 해수욕장 근처의 쌈밥집에 가서 맛있는 점심을 먹고 바다가 보이는 '마시랑 카페'에 갔다. 파라솔이 펴진 야외 테이블에 자리를 잡고 앉았다. 오랜 벗과 함께 바다를 보며 마시는 커피 한 잔에 행복했다. 그녀가 책을 한 권 내민다. '소년과 두더지와 여우와 말' 어느 페이지를 펼쳐도 좋은 이야기가 나오고 감동을 주는 문장으로 가득했다. 따스함이 느껴지는 윤정을 닮은 책이었다. 이날 윤정이가 밥도 사주고, 커피도 사주고, 책도 주었다. 멀리서 와준 것만으로도 고마웠는데 지갑을 열지도 못하게 했다.

언제인지 정확히 기억나지 않지만 윤정이가 단톡방에 퀴즈를 냈는데 정답을 내가 맞힌 적이 있다. 그 일은 잊고 지냈는데 퀴즈 정답자인 나에게 선물을 주러 온 것이라고 했다. 그녀에게는 귀하디귀한 평일의 자유시간일 텐데 나를 위해 내어 주다니 감동이었다. 갑작스러운 친구와의 만남에 행복한 하루였다. 고마움에 선물을 보내면 고맙다고 또 선물을 보내주는 내 친구 윤정이.

'선물 같은 하루'를
선물할 수 있는
기회를
나에게도 주렴!

내 인생의 특별한 선생님

'마루홀 도착. 멋진 공연, 자신 있는 두드림으로 마음을 울려주시오~'

고1 담임 선생님께서 보내신 문자가 한 통 왔다.

난타에 빠진 지 5년 차. 2018년 11월 23일 잠정적 마지막 공연. 이 공연을 마지막으로 난타 휴식기에 들어가기로 마음을 먹었다. 그래서 다른 어느 때보다 최선을 다해 준비한 무대였다. 추운 겨울, 금요일 저녁 퇴근 시간의 도로 사정을 알기에 선생님께서 서울에서 용인까지 오실 거라는 상상은 하지도 못했다. 나는 깜짝 놀라 한달음에 달려 나가 선생님을 맞이했다.

선생님을 처음 만난 건 1992년 고등학교 1학년 때이다. 우리 학교는 반 이름이 숫자가 아니고 꽃 이름이었다. 난 그중에 1반 격인 장미반이었다. 선생님과 처음 만났던 때가 생각난다. 웃을 때면 보조개가 쏙 들어가는 선한 인상에 마음이 놓였다. 첫인상은 합격이다. 선생님은 인상대로 너무 좋으신 분이었다. 선생님을 좋아하는 학생들이 많았다. 물론 나도 선생님이 좋았다. 나의 특별활동 수업은 담임 선생님께서 담당하신 '버시'라는 독서토론반이었다. 선생님께서는 1년을 함께 보내는 동안 학생들에게 한 번도 화를 내시거나 혼을 내신 적이 없었다. 그래서인지 우리 반은 따뜻하고 행복한 반이었다. 우리 반은 단합이 잘 되었는데 반장의 리더십이 한몫했다. 우리 장미반은 체육대회 때 멋진 가장행렬을 선보였고, 수학여행 때 단합도 최고였다. 학년을 마무리할 땐 우리의 힘으로 학급문집도 만들어 특별한 추억을 간직하게 됐다.

나는 고등학교를 졸업하고 '스승의 날'이면 학교에 찾아갔다. 선생님과 함께 예쁜 교정도 보고, 힘들었지만 열심히 살았던 내 청춘과도 만나고 싶었다. 선생님께서는 첫 담임을 했던 우리가 너무나 특별하다며 모두의 번호를 기억하고 계셨다. 한 해 두 해 찾아가다 보니 선생님과 인연의 끈은 계속 이어졌다. 나의 경조사에 함께해 주셨다. 기쁜 일이 있을 때면 함께 기뻐해 주시고, 힘든 일이 있을 때면 함께 슬퍼하고 위로해 주시며, 내 인생의 크나큰 버팀목이 되어주셨다. 선생님은 교직 생활이 힘드실 텐데도 시간을 쪼개 야학에서 아이들을 가르치는 봉사를 하셨다. 얼마 전엔 독거노인들을 위해 도시락배달 봉사도 하신다고 하셨다. 이런 선생님의 영향으로 나도 장애아동을 위해 국악 수업과 여러 곳에서 전래놀이 재능기부 수업도 하게 됐다.

올 초에는 장미반 반장이 선생님과 함께 우리 동네에 왔다. 카리스마 넘치는 멋진 반장과 나는 반가움에 술잔을 기울였다. 우리는 추억에 젖어 시간 가는 줄 모르고 이야기했다. 선생님은 이런 우리를 웃으며 바라보셨다. 헤어지는 인사를 하는데 선생님께서는 우리 아들의 중학교 입학을 축하한다며 용돈을 주셨다. 아니라고 마음만으로도 감사하다고 했지만, 기어이 주머니에 넣어 주신다. 봄에는 파주에서 새로 감자탕 장사를 시작하는 친구에게 반장과 선생님과 함께 응원차 찾아갔다. 추석쯤 만난 선생님은 파주에 한 번 더 가야 하지 않겠냐며 날을 잡아보자고 하셨다.

얼마 전, 수학 선생님이지만 특별한 능력이 있으셔서 한 가지 부탁을 드렸다. 공동 저자로 첫 책이 될 나의 글 세 편에 대해 오탈자를 봐주셨으면 한다고 보내드렸다. 일주일이 지나도록 답은 오지 않았고, 바쁘실 거라는 생각에 연락을 안 드렸다. 열흘이 지난 후, 장문의 메시지가 왔다. 선생님은 오탈자 한군데를 알려 주셨고, 매일 서너 번씩 읽으니 외워지기까지 했다고, 마치 선생님의 생각인 듯한 기분이 들기까지 했다고 하셨다. 나의 글을 이렇게 성의껏 읽어주는 사람이 있다는 자체만으로도 글을 쓸 이유가 생겼다. 글쓰기 참 잘했다. 내 에세이 추천사는 선생님께서 써 주셔야 한다고 했더니 '100번을 읽어주마.' 답장이 왔다.

1학년 장미반 담임으로 시작하셔서 1학년 장미반 담임으로 마무리하시는 30여 년의 교직 생활이 거의 끝자락에 와있다. '첫 장미는 아무것도 모르고 시작한 최고의 학급이 되었고, 지금 마지막 장미는 어려움의 연속이나 32년 편안함의 마무리라 생각된다. 92-1 장미 송이 송이들의 축하와 감사의 염원이 스스로 복이 되기를…….' 장미 단톡방에 남기신 선생님의 인사에 가슴이 뭉클했다.

제2의 인생을 시작하실 선생님의 앞날을
온 마음으로 응원합니다!

여리세시요

열이 셋이면 삼십.

누구보다 10대를 열심히 치열하게 살았던 흥사단 고등학생 아카데미 30기 친구들의 모임이다. 2022년 10월 30일. 우리의 만남 30주년을 기념해 30기가 모였다. 모임 장소는 30기 강 사장이 운영하는 신논현역 근처의 '까사생갈비'로 예약을 안 하면 가기 힘든 고기 맛집이다. 안 가본 사람은 있어도 한 번 가본 사람은 없다는 내 마음속의 별 다섯 맛집. 오랜만에 친구들을 만나러 가는 길은 설렘으로 가득했다. 길게는 20여 년 만에 얼굴을 보는 친구도 있었다. 특별한 만남인 만큼 많은 친구가 모였다. 15명이 모였는데 서로의 안부를 묻고 답하느라 시끌벅적 정신이 없었다. 그냥 마냥 좋은 10대의 내 친구들.

흥사단은 '도산 안창호 선생'이 만든 민족운동 단체이다. 나중에는 시민사회 운동으로 나아가 아카데미 운동을 시작하였는데,

그 안에 고등학생 아카데미가 있다. 홍고아(홍사단 고등학생 아카데미)는 매주 토요일 오후면 혜화동에 있는 홍사단 강당에서 모였다. 회장, 부회장, 총무를 주축으로 각 단위 아카데미가 있었다. 그리고 부서가 있었고 부서에 맞게 해야 할 일들이 있었다. 각 아카데미에는 길라잡이 역할을 해주시는 자문위원과 지도 선배님이 계셨다. 다른 학교 학생들과 교류하며 관심 분야에 관한 공부와 토론을 하였다. 단위 아카데미는 한마당(우리 전통문화), 역사, 철학, 소래짓(노래), 띠앗(학교 관련), 글빛촌(글쓰기)이 있었다. 또한 부서는 대동부(아카데미 모임이 끝난 후 다 같이 어울리는 시간 담당), 총무부(아카데미 살림), 편집부(기러기지 발간)가 있었다. 나는 한마당 아카데미와 대동부에서 활동했다.

별세계 같은 곳에서 친구들과 함께 보내며 특별한 경험을 하게 되었다. 우리나라 역사에 대해 관심을 두게 되었고, 우리 전통문화를 처음 접하게 되었으며, 친구들과 함께 농촌봉사활동을 떠나기도 했다. 어린 나이지만 다른 누군가에게 도움이 될 수 있음에 뿌듯해했던 생각이 난다. 중요한 기념일에는 자문위원과 지도 선배들의 도움을 받아 대학교에 모여 큰 행사를 치렀다.

나는 홍고아에 처음 들어갔을 땐 홍잽이가 되어 대동제(여러 집단이나 사람이 한데 모여 크게 벌이는 축제)의 한 부분을 담당했다. 경험을 쌓고 나서는 홍잽이들을 교육하고 대동제의 사회를 보게 되었다. 사람들 앞에 서는 게 너무나 떨렸던 '나'인데 경험이 쌓이다 보니 사람들 앞에 서는 용기가 생겨났다. 친구들은 각자의 위치에서 자기 몫을 해냈다. 기획, 홍보, 연설, 사회, 연극, 노래, 춤, 대동제 등 모든 것들을 고등학생인 우리가 주체가 되어 진행했다.

우리의 10대는 대학로, 마로니에, 성균관대, 서울의대 벤치, 라면 일번지, 둘리분식, 학전, 작은마을, 쟈뎅, 여럿이 함께 등 곳곳에 추억이 고스란히 새겨졌다. 좋은 친구들을 만나 역사를 공부하고, 우리 문화를 찾아가고, 여럿이 함께하는 다양한 활동의 경험들이 지금의 우리를 만들지 않았나 싶다. 내가 대학에 입학했을 때 '홍고아'에서 했던 활동을 하고 있어서 무척이나 신기했다. 다른 사람들이 20대에 경험하는 것들을 벌써 10대에 했었다는 것을 그때 알게 되었다.

순수한 시절 만나 함께 열정을 불태웠던 우리이기에 지금까지도 소중한 만남이 이어져 오고 있다. 십 대에 누구나 경험할 수 없는 값진 경험을 한 나의 친구들. 우리나라를 사랑하고 우리의 역사를 잊지 않고 돌아보며 좀 더 나은 어른이 되고자 열심히 살아가고 있다. 각자의 삶을 멋지게 살아내고 있는 30기 나의 친구들이 무척이나 자랑스럽다!

유교 4인방

나는 대학 오리엔테이션에서 한 친구(선화)를 만났다. 입학식에서 한 친구(인숙)를 만났다. 오리엔테이션에서 만난 친구를 입학식에서 만났다. 그 친구도 한 친구(미영)를 만났다. 알고 보니 용띠 친구들. 우리는 입학식에서 친구가 되었다. 모두 S여자대학교에 원서를 넣었는데 아쉽게 떨어지고, 이곳에서 만나게 된 것이다. 두 군데나 겹치니 재밌는 인연이라고 생각했다. 거기에다가 혈액형이 모두 같았다. '헉! 운명의 장난인가?' 반이 배정되었는데 나 혼자만 다른 반이 되었다. 만나자마자 이별이었다. 첫정이 뭔지. 이 친구들과 유교 4인방(유아교육과 95학번 새내기 4명의 모임)이 되어 '따로 또 같이' 학교생활을 시작하였다. 수업은 고등학교처럼 9시에 시작해서 5시에 끝났다. 전문대학이라 2년 안에 공부를 끝내야 했다. 수강 신청은 따로 하지 않았고 빽빽한 시간표는 정해져 있었다. 유교 4인방 친구들과는 쉬는 시간이나 점심시간이 되어서야 매점과 식당에서 만날 수 있었다.

홍고아(홍사단 고등학생 아카데미)친구 숙희를 학교에서 만났다. 숙희와 난 홍고아 체육대회 씨름 결승전까지 가서 붙은 경쟁자였다. 결승전에서 내가 졌다. '힘센 숙희'라고 하면 씨름은 힘이 아니라 기술이라며 자기는 기술이 좋은 거라고 이야기하던 티키타카가 잘 되는 친구였다. 전문대와 대학교가 함께 있었는데 숙희는 대학교 '토목공학과'의 학생이었다. 우리는 종종 교정에서 마주쳤고 숙희는 유교 4인방의 객원으로 함께 했다. 온도 차가 다른 '토목공학과'와 '유아교육과'의 만남이었지만, 워낙 쾌활하고 성격 좋은 숙희여서 금세 친해졌고 지금은 '핑크 드래곤'의 멤버로 함께 만난다.

수업을 마치면 잔디밭은 우리의 놀이터가 되었다. 옹기종기 모여 앉아 대학 캠퍼스의 낭만을 누렸다. 우리는 평일 쉬는 시간과 점심시간엔 매점에서 오리고 붙이고 만드느라 바빴다. 주말이면 도서관에 가서 자료 찾고 과제를 하느라 정신이 없었다. 그런 와중에도 짬짬이 만났고 그 짧은 시간도 즐거웠다. 우리 과는 경쟁률은 물론 커트라인도 높았다. 입학할 때 차석 장학금을 받았던 선화는 다른 계획을 꿈꾸고 왔다가 우리가 좋아 그냥 다니게 되었고, 모두 함께 졸업하게 되었다. 나는 졸업할 때 장학금을 받아 '유종의 미'를 거뒀다.

어느 날 벤치에 앉아 있던 우리에게 '전자과의 예비역' 남자사람들이 말을 걸었다. 우리 과를 알려주기 싫어서 '간호과'라고 대답했다. 그들은 '유아교육과'와 엠티를 갈 거라고 했고 우리는 설마 했다. 인숙이와 나는 얼마 뒤 학회 임원이라 모임에 갔는데, "헉!" 그날 말을 걸었던 '전자과'의 남자 사람들이 있었다. 그들은 어이없어하며 '간호과'가 왜 여기에 있냐고 했다. "아니, 그게 아니라……." 오빠들은 다행히 우리를 귀엽게 봐주셨다.

그렇게 엠티를 떠나게 되었고, 연장자 모둠(예비역과 직장인)의 그들은 새내기 우리와 필사적으로 한 조가 되려고 애를 썼다. 선화는 이 엠티에서 만난 우현 오빠와 CC(캠퍼스 커플)가 되었고 결혼까지 하게 되었다. 나 때문인지 나 덕분인지 모르겠지만 하여튼 '만년 공주'로 두 공주님과 오빠와 행복하게 살고 있다.

인숙이는 '못하는 게 뭐니?' 물을 정도로 재주가 많았다. 만들기와 노래도 잘했는데 글씨도 예술이었다. 인숙이가 대자보와 과제에 쓴 글씨는 모두의 감탄을 자아냈다. 그녀의 영향으로 나는 좀 더 나은 글씨를 쓰게 되었다. 가까운 거리에 살았던 우리는 같은 유치원에 실습을 나가서 서로가 서로에게 힘이 되었다.

미영이는 부모님의 가게 일을 도와드리는 효녀로 학교에서 놀다가 일찍 일어나야 했다. 늘 아쉬움에 헤어졌는데 그 덕분인지 성격은 물론 인성까지 좋은 지금의 남편 성준 오빠를 만났다. 일찍 결혼해서 대학생 아들이 있다. 일찍 아이를 낳았기에 회춘을 한 건지 얼핏 보면 20대라고 해도 믿을 만큼 어려 보인다.

대학 졸업 후 취업한 우리는 휴가 기간에 어디로든 여행을 떠났다. 춘천에 가서는 내 친구의 자취방에서 잠을 잤고, 경주에 가서는 나와 함께 근무했던 선생님 집에서 하룻밤을 보냈으며, 거제에 가서는 미영이 지인의 집에서 신세를 졌다. 어리고 순수했기에 할 수 있었던 '민폐 여행'이었다.

부모님들은 모르시는 우리만의 비밀이 있다. 유교 4인방은 대학 1학년 겨울방학에 강원도로 여행을 갔다. 우린 겨울 산의 무서움을 몰랐다. 겁도 없이 아이젠도 하지 않고 오후 3시가 넘어서 설악산에 올라갔다. 심지어 선화는 네모난 굽의 구두를 신었다. 다행히 내려오시는 분들 가운데 한 분이 고맙게도 선화에게 아이젠을 주셨다. 흔들바위까지 올라갔는데 내려오는 길은 깜깜해서 앞이 보이지 않았다. 119를 불러야 하는 게 아닌가 싶었다. 하지만 우리는 삐삐만 있었기에 선택의 여지가 없었다. 할 수 있는 거라고는 목숨을 걸고 내려오는 것뿐이었다. 눈물 콧물 다 빼며 기다시피 해서 겨우 내려왔다. 계곡물을 건너기도 했는데 내려와 보니 바지에 고드름이 달렸다. 하마터면 큰일 날 뻔한 그날의 일은 정말이지 기억하고 싶지 않지만 잊히지 않는 추억이 되었다.

풋풋한 사랑, 친구와의 우정, 타오르는 열정, 좌절과 극복 등 젊었기에 경험할 수 있었던 우리들의 시간. 듣기만 해도 가슴설레는 말 '청춘(靑春)!' 그 시절이 다시 돌아오지 않지만, 함께한 너희들이 있기에 즐거움으로 추억할 수 있어 감사해.

어쩌다가 누나 동생

대학 때 유아교육과였던 우리는 전자과와 함께 엠티를 갔다. 100% 여자만 있었던 우리 과는 몇 번의 엠티를 다녀온 후 남자 사람들을 알게 되었다. 열심히 학회 활동을 했기에 아는 사람들이 많아졌으며, 휴게실에 갈 때면 유교 4인방(유아교육과 95학번 새내기 4명의 모임)인 우리는 막내로 예쁨을 많이 받았다. 해가 바뀌었고 후배들에게 막내 자리를 넘겨줄 때가 왔다.

어느 날 우리는 학교 앞에서 전자과 오빠들을 만났다. 오빠들 옆에 풋풋한 새로운 얼굴이 보여서 물어봤더니 신입생이라고 했다. 자그마한 키에 동글동글한 남학생이 참 귀엽게도 생겼다. 유일하게 학교에서 만난 나보다 어린 사람이었다. 그날 이후 우리는 누나 동생으로 지내게 되었다. 막내였다가 동생이 생기니 어른이 된 것 같았다. 귀염둥이 동생은 성년의 날을 축하한다며 장미꽃 한 송이씩 챙겨주는 센스로 우리를 기쁘게 했다.

대학 생활의 가장 큰 이벤트는 체육대회였다. 이상하게도 여자들만 모인 과들은 체육대회에 목숨을 걸었다. 고등학교 3학년 시절에 체육 선생님이 되겠다는 목표로 운동했던 나는 1996년 체육대회에서 배구, 피구, 마라톤 등 거의 전 종목에 출전했다. 우리 과는 '여성 교양과'와 붙은 배구 경기에서 무참히 깨지고 2위를 달리고 있었다. 체육대회의 순위를 바꿀 수 있는 경기는 마라톤뿐이었다. 원래는 마라톤에서 10등까지만 점수를 줬다. 나는 전해에 9등으로 들어 왔다. 그런데 그해는 50등까지 점수를 준다고 했다. 이 소식을 들은 유아교육과 학생들은 너 나 할 것 없이 마라톤에 참가했다. 등에는 초록색 박스테이프를 잘라 '1'을 붙이고 달리기 시작했다.

다른 경기를 열심히 뛰어서 그런지 나의 다리는 천근만근 무거웠고 땡땡하게 부었다. 힘들어서 죽을 것 같았지만 포기할 수 없었다. 남자는 11km, 여자는 9km를 달리는 거라 남녀가 돌아오는 전환점이 달랐다. 나는 4.5km 전환점을 돌았고 남은 거리를 힘겹게 달리고 있었다. 그런데 뒤에서 "누나!"하고 부르는 소리가 들렸다. 마치 어둠 속에 한 줄기의 빛이 새어 들어오는 것 같았다. 나를 부른 사람은 바로 전자과 동생이었다. 그 동생은 어차피 50등 안에만 들어가면 된다고 선두에 있던 나와 함께 해줬다. 내가 페이스 조절을 할 수 있게 도와주고 함께 달려주었다. 나는 함께 달리는 게 이렇게 힘이 되고 행복한 일인 줄 태어나서 처음 알았다. 잘하면 1등도 가능할 것 같았다. '이런!' 비슷하게 달리던 건축과 여학생이 있었는데 같은 과의 남학생들이 가마를 태우더니 달렸다. 나는 양팔 벌려 바람을 맞으며 날아가는 그녀가 너무 부러웠고 100%가 여학생인 과의 설움을 느꼈다. 아쉽게도 200점과 우승 트로피의 주인공은 그녀가 되었다. 힘겹게 달려온 길의 끝이 보였다. 드디어 교문 앞에 도착했고, 나와 함께 달리던 동생은 조용히 사라져 주었다. 나는 박수와 환호 속에 양손을 하늘 높이 향해 들어 올리며 2등으로 결승점을 통과했다. 나는 150점을 받게 되었고 우리 과 점수에 조금이나마 보탬이 되었다. 힘들었지만 고생한 보람이 있다고 생각했다. 내 뒤로 끈기의 유아교육과 학생들 여럿이 50등 안에 들어왔다. 4등부터 50등까지 똑같이 50점을 주었기에 우리 과는 엄청난 점수로 역전했다.

역전을 한 상태였지만 남은 경기가 진행되었다. 나는 피구 경기에 투입되었다. 공격수였던 나에게 공이 날아왔고 공을 잡아 온 힘 다해서 '불꽃 슛'을 던졌다. 그런데 갑자기 종아리에 쥐가 나서 바닥에 주저앉고 말았다. 손을 들고는 심판에게 경기에서 빼달라고 했다. 나는 경기장 밖으로 나와서 쥐가 난 다리를 풀고 있었다. 그런데 전자과 그 동생이 어딘가에서 나타나서는 쥐가 난 다리를 풀어주었다. 모든 경기가 끝난 후, 나는 시상대에 올라가 마라톤 2위 트로피를 받았고 학과장님 얼굴엔 미소가 가득했다.

이날 이후, 남자들로 치자면 '전우애' 같은 그런 깊은 우정이 우리에게 생겼다. 우리는 졸업하고 나서도 만남을 이어왔고 서로의 결혼식과 돌잔치에도 함께 했다. 그 동생은 우리 아들 돌잔치 날엔 금반지를 선물했다. 고마워서 어쩔 줄 몰라 하는 나에게 우리 사이에 이것도 못 해주냐면서 얼른 받으라고 했다. 어느덧 그 동생도 결혼하고 예쁜 딸을 낳았다. 동생의 초대에 남편과 아들과 함께 돌잔치에 갔다.

돌잡이 시간이 다가왔다. 돌잡이 이벤트에는 운이 따랐기에 살짝 기대했다. '두둥~' 아기가 돈을 잡았다. '앗싸~~~' 돌잡이 1등의 행운이 벌써 세 번째다. 우리가 갖고 있던 번호가 불렸고 아들은 신이 나서 나갔다. 그런데 사회자가 마이크를 갖다 대고는 관계가 어떻게 되냐고 물었다. 예닐곱 살의 아들은 당황하며 "삼촌 딸이요."라고 대답했다. 덕담은 "공부 열심히 하고 건강하게 자라."라고 했다. 꼬맹이가 아기에게 공부 열심히 하라고 하니 웃음바다가 되었다. 축하해주러 가서는 값진 선물까지 받아오는 행운의 날이었다.

누나에게 좋은 일이나 힘든 일이 있을 때면 열 일 제쳐두고 와주는 동생. 지금도 잊지 않고 안부를 전하는 동생. 전우애 같은 우정으로 많은 추억을 남겨준 동생.

> "민주야! 피 한 방울 섞이지 않은 우리지만
> 마음만큼은 친누나 이상이라는 거
> 알지?"

핑크 드래곤

핑크 드래곤은 나의 초등 친구 옥이, 고등 친구 숙희, 대학 친구들(유교 4인방)이 멤버인 모임 이름이다. 일명 용띠클럽이라고나 할까? 왜 이름이 '핑크 드래곤'인지 정확히 기억나지 않지만, 그 이름을 정하던 날 나의 옷이 핑크였다는 후문이 있다. 핑크빛 나이는 지났기에 이름을 '골드 드래곤'으로 바꿀까 심히 고민 중이다. 다들 너무 좋은 친구라서 나 혼자 알기에는 아까웠다. 그래서 한자리에 모이게 되었고 함께 하게 되었다. 어느덧 우리가 뭉친 지 20년이 훌쩍 넘었다.

매력 만점 옥이, 멋진 커리어우먼 숙희, 최강 동안 미영, 만년 공주 선화 그리고 만능 엔터테이너 인숙이 모두 색깔이 다르다. 각각의 재능과 성격, 풍기는 이미지도 다르지만, 기본적인 마인드의 결이 같고 서로 통한다. 서로를 존중하고 배려하는 이들과의 만남은 즐겁다. 그녀들을 만나는 시간이면 나이는 잊게 되고 그

101

시절의 우리가 된다. 20대의 우리는 생일이면 만나서 맛있는 음식을 먹고 즐겁게 지냈다. 시간이 맞으면 여행을 떠나 추억을 쌓았다. 만남 그 자체가 즐거움이었다.

우리는 코로나로 인해 한동안 만나지 못했다. 아쉬운 마음이 들어 2023년 여름비 내리던 토요일 날 드디어 4년 만에 모였다. 오랜만이었지만 어색함은 1도 찾아볼 수 없었다. 사촌 언니 부부가 운영하는 신림동 **륲's**에서 모였다. 우리는 스테이크, 감바스, 깔라마리, 하몽, 파스타 등 음식이 나올 때마다 맛있다며 금세 먹어 치웠고 형부는 깜짝 놀라셨다. 형부가 추천해 주신 예쁜 빛깔의 와인으로 파티 분위기가 났다. 선물 교환도 했는데 한여름의 크리스마스 같은 느낌이 들었다. 사촌 언니는 우리의 단체 사진을 예쁘게 남겨주겠다며 몸을 아끼지 않고 찍어주었다.

살이 빠지고 예뻐져서 나타난 친구 숙희의 비법을 공유하며 운동 앱을 설치하고 건강 이야기로 꽃을 피웠다. 수다 삼매경에 빠져 도란도란 이야기를 나누는 중년의 그녀들이 내 눈에는 20대의 모습과 변함없이 예쁘고 어려 보였다. "너희 하나도 안 변했어. 20대 같아."라고 했더니 조용히 하라며 검지손가락을 내 입에 갖다 댄다. 친구들은 작은 목소리로 속삭이며 "다른 사람들이 들으면 이상한 아줌마들이라고 할 거야."라며 웃었다. 이 시간이 행복하다며 밤을 새워 이야기하자고 하고, 다음엔 1박 2일로 여행을 가자고도 했다.

과거의 여행 이야기는 빠질 수가 없다. 거제도, 춘천, 경주, 강원도, 부산 등의 여행 이야기로 낄낄 깔깔 한참을 이야기했다. 우리의 여름휴가 기간엔 장마가 겹쳤다. 밤새워 고민하다가 배낭을 메고 떠난 적도 있다. '여진'이랑 여행 간다고 하면 친구들 집에선 프리패스처럼 허락을 잘 해주셨다. 막중한 책임감으로 떠난 여행이기에 나는 누군가의 눈길이 느껴지면 단숨에 잘라버려 친구들의 원성을 사기도 했다. 비 오면 비 오는 대로 맑으면 맑은 대로 함께이기에 즐거운 우리만의 젊음을 만끽했다.

우리는 애들이 조금 더 크고 나면 함께 여행을 다니기로 했다. 다리가 아파지기 전에 한 살이라도 젊을 때 다녀야 한다며 이야기만으로도 신이 났다. 선화네 차로 오빠도 함께하자고 했다. 대학 때 CC로 만나서 선화와 결혼한 오빠는 이날 아내를 위해서 분당에서 신림동까지 데려다주고 데리러 와주었다. 그 마음이면 여행지까지도 태워다 줄 사람이기에 우리끼리 계획을 세웠다.

다쳐서 모임에 나오지 못한 인숙에게는 우리의 마음 담아 과일을 선물로 보내주었다. 다음 모임엔 6명 완전체로 만나기로 했다.

얼마 전에 핑크 드래곤 멤버 중 한 친구의 시아버님이 돌아가셨다. 시간이 되는 친구는 직접 가고 여건상 못 가는 친구는 마음을 전했다. 힘든 일을 겪어 보아서 함께 해주는 것이 얼마나 큰 힘이 되는지 알기에 친구들의 따뜻한 마음이 고마웠다.

"우리 지금처럼 이렇게 예쁘게 나이 들어가자.
마음 나누면서 기댈 수 있는 쉴 곳이 되어주면서 말이야.
사랑해. 친구들아~"

슈퍼히어로

"여진 씨! 제 차로 데려다줄게요. 너무 걱정하지 말아요." 언니의 한마디에 눈물이 왈칵 쏟아졌다. 몇 해 전 아동 국악 특강 제의가 들어왔다. 나는 아동 국악을 널리 알리고자 스무 대 정도의 장구와 북, 징, 꽹과리를 구비해 두고 있었다. 그 수업은 내가 악기를 싣고 가서 해야 하는 수업이었다. 차로 이동해야 했기에 초보운전자인 나는 수업이 있던 전날 언니와 수업 장소에 답사를 갔다. 우여곡절 끝에 다녀왔지만, 도저히 용기가 나지 않았다. 다음날, 장구 스무 대를 언니의 자가용에 싣고 수업 장소로 향했다. 영종도 다리 건너 나를 위해 왕복 운전을 두 번이나 해준 언니 덕분에 무사히 수업을 마칠 수 있었다.

내가 누군가를 필요로 하는 순간이면 '슈퍼히어로'가 되어 나타나 주는 언니는 감동 그 자체였다. 내가 몸살로 아팠을 때였다. 언니네 집으로 데려가더니 먹고 기운 내라며 소고기를 구워서 한

상 차려줬다. 먹기도 전에 병이 다 나은 것만 같았다. 한 번은 임신 중에 신랑이 출장을 가고 혼자 집에 있던 날 밤이었다. 술에 취한 사람이 비밀번호를 자꾸 누르고 문을 두드렸다. 두려움에 떨며 언니에게 전화했더니 한달음에 달려와 순식간에 일을 해결해줬다. 그날 밤 언니네 집에서 마음 편히 눈을 붙일 수 있었다. 언니는 뜻밖의 선물로 감동을 주기도 했다. 어느 날 제주도에서 천혜향이 왔다. 시킨 적이 없어 잘못 온 건 줄 알고 전화했는데, 언니 이름을 말씀하시면서 그분이 보낸 거라고 하셨다. 여행 중에 내 생각이 났다고 보내준 것이다.

언니는 매년 내 생일이면 잊지 않고 챙겨준다. 이번 생일에는 맛있는 스테이크와 와인을 사주었다. 본인은 운전 때문에 마실 수도 없는데 말이다. 운전하는 언니 옆에 등 따숩고 배불러진 나는 깜박 잠이 들어버렸다. 눈을 떠보니 낯선 시골 풍경이 보였다. 풀코스로 대접한다고 데려간 곳은 언니가 좋아하는 예쁜 카페 '림'이었다. 난생처음 마셔보는 '시나몬 시그니처 라떼'에 홀딱 반해버렸다.

2018년 멀리 용인에서 나의 난타 공연이 있었다. 다시 언제 무대에 오를지 모르는 잠정적 마지막 공연이었다. 사정상 가족도 지인도 거의 올 수 없어서 외로운 공연이 될 뻔했었다. 그런데 언니가 퇴근 후에 언니 아들과 우리 아들을 데리고 와주었다. 덕분에 아들이 나의 공연을 볼 수 있었다. 8살 아들은 공연을 보며 모르는 옆 사람에게 "저분이 우리 엄마예요!"라며 자랑했다고 한다. 객석에서 손을 흔들며 엄지척을 날려주는 아들이 든든하고 고마웠다. 그날 언니가 없었다면 뚜벅이인 나는 자정 12시를 넘겨 집에 돌아왔을지도 모른다. 돌이켜보니 2008년 언니를 만난 이후 지방에 있을 때 빼고는 나의 대소사에 늘 함께했다.

언니의 아들은 말이 없고 조용했었는데 태어나서 처음으로 문장을 이야기한 게 "여진 씨 배 속에 아가야 있어."였다. 그 이후로는 재잘재잘 이야기를 잘했다. 앞머리를 이마에 붙이고는 '여진 씨 머리'라고 흉내를 내기도 했다. 언니가 바쁠 때면 우리 집에 데리고 와서 시간을 보내기도 해서 그런지 우연한 만남도 반갑기만 하다.

몇 년을 언니가 밀양에 내려가 있게 되었다. "한 번 갈게요."라고 했던 나는 진짜로 아들을 데리고 밀양에 갔다. 그곳에 있는 동안 맛있는 음식을 대접해 주고, 좋은 곳에 데려가 줘서 힐링의 시간을 보냈다. 대접을 받은 건 난데 오히려 언니는 "와줘서 정말 고마워요."라고 했다.

언니가 밀양에 있을 때 언니의 친정어머니 혼자 서울에서 무릎 수술을 받게 되셨다. 못 와보는 심정이 오죽할까 싶어서 어머니가 좋아하시는 복숭아를 사 들고 병문안을 갔다. 어머니께서는 두 손으로 내 손을 감싸고 미소를 지으셨다. 예전에 임신한 내가 좋아한다고 지방에서 맛있는 음식을 한가득 보내주셨던 고마운 어머니. 나중에 언니네가 맞벌이 부부라 손주 봐주신다고 올라오셔서 언니보다 더 많은 시간을 보내며 언니의 어머니와 정이 들었다.

언니가 다시 이사 온다는 말에 나는 환호성을 질렀다. 그날을 손꼽아 기다렸다. 가까이 있다는 자체만으로도 나에게 힘이 되고 든든한 사람이다. 누구에게나 시간은 유한하다. 유한한 만큼 인생에 있어 소중한 것이 시간이지 않을까 싶다. 바쁘더라도 흔쾌히 나를 위해 시간을 내어 주는 고마운 사람. 나보다 4살이 많은 언니는 만난 지 15년이 넘었지만, 아직도 "여진 씨"라며 존칭해 준다. 거리를 두기 위한 존칭이 아니라 존중해 주는 마음이 느껴져 고마울 따름이다.

언니와 함께 있으면 내가 참 소중한 사람이라고 느껴진다. 그래서 언니를 만나는 시간이 행복하다. 나를 소중하다고 생각할 수 있게 해주는 언니가 나에게도 너무나 소중하다.

인생은 어느 순간, 누구를 만나느냐에 따라 달라진다.

"죽기 전에 내 이름이 새겨진 에세이 한 권 쓰고 싶어." 친구 혜진이에게 건넨 이 한마디가 나의 삶에 이렇게 큰 변화를 불러올지 몰랐다.

내 이야기를 들은 친구는 영종도서관에서 '에세이로 시작하는 글쓰기' 강좌가 열린다며 함께 하자고 했다. 나는 생각을 좀 해보고 결정하겠다고 했다. '세월이 흐르고 나서 지금보다 더 성숙해지면 그때 써야 하는 게 아닌가.'라는 생각이 들었다. 지금 당장 글을 쓸 자신이 없었다. 인생에 누구나 한 번쯤은 생각한다는 에세이 쓰기지만 시작하기엔 용기가 필요했다. 고민 끝에 '함께라면 괜찮겠지!' 싶어서 등록했다. 나는 그날 만남에서 역사에 관심이 많았던 그녀에게 '역사문화체험 강사' 양성 과정을 소개했는데, 그녀는 그 공부를 택했다. 대신에 글쓰기는 힘들 것 같다고 했다. 그렇게 우리는 각자의 길을 가게 되었다.

수업이 만만치 않았다. 일주일이라는 시간이 주어졌음에도 글한 편을 써내는 게 쉽지 않았다. 나는 처음에 제목도 안 쓰고 들여쓰기나 단락 나누기도 잘 몰랐다. 다른 사람들과 글을 나누며 하나씩 배워갔다. 나이로 치면 최고 연장자였지만 글쓰기는 제일 초보자였다. 나는 글쓰기 강사님의 책 '2분 30초 안에 음료가 나가지 않으면 생기는 일'을 샀다. 포기하게 될까 봐 마지막 날 강사님의 싸인을 받겠다는 목표를 세웠다. '글벗'들의 글이 소중하기에 매번 프린트해서 형광펜으로 밑줄을 긋고 소감도 적었다.

나는 시간을 내어 도서관에 자주 갔다. 책을 빌려 읽고 공부하며 버텼다. 별생각 없이 읽어왔던 책들이 글을 쓰며 읽게 되니 다르게 보였다. 제목, 들여쓰기, 단락 나누기, 페이지 표시, 책날개, 책 등, 작가소개, 추천사 등 전에는 인지하지 못했던 부분들이 보이기 시작했다. 나는 글을 쓰고 나면 글쓰기를 추천해 준 혜진에게 공유했다. 그때마다 그녀는 잘하고 있다며 응원을 해주었다. 어느덧 7편의 글을 썼고 수업이 끝났다. 다시는 글을 쓰지 않을 줄 알았다.

그런데 글쓰기에서 만난 강사님과 글벗 덕분에 용기를 내고, 내 책을 내겠다는 목표가 생겼다. 무모한 도전의 시작이었다. 대단한 글을 쓰는 것은 아니지만 목표를 세웠기에 어떻게든 쓰고 싶었다. 하지만 마음과 같이 되지 않았고 어느 순간 멈춰버렸다. 무언가 변화가 필요했다. 때마침 글쓰기 수업이 새롭게 시작되었다. 숙제로 주어지자 어떻게든 써내야 했다. 오랜 멈춤에 노트북의 전원이 켜질까 걱정했던 나는 다시 자판을 두드리게 되었다.

글을 쓰다 보니 자연스럽게 과거로의 여행을 떠나게 되었다. 곳곳에서 만난 소중한 인연들과의 소소한 에피소드가 떠올랐다. '그래 결심했어!' 나의 첫 책은 내 인생에 있어서 고마운 사람들에게 마음을 전하자. 그들에게 표현하지 못했던 마음을 담아보자. 멋있고 화려한 문체로 글을 쓸 자신은 없었고 진심을 담아보기로 했다.

내친김에 공동 저자로 책을 내는 영종도서관의 수업에도 참여했다. '독립출판 도전기'를 통해 이성혁 작가님과 다시 만났고 공동 저자로 내 이름이 새겨진 미니 북이 나왔다. 이후엔 나만의 이야기가 담긴 책을 만들기 위한 여정이 시작되었다. 이 수업에서 만난 고마운 글벗들과 쓰위친(쓰기 위해 모인 친구들)의 응원이 나에게 큰 힘이 되었다.

혜진은 우리 아들 초등학교 3학년 때 같은 반 친구의 엄마였다. 두 아들이 4학년이 되어 다른 학교에서 하는 발명 수업을 함께 듣게 되면서 연락하게 되었다. '아들 친구 엄마'인데 '내 친구'가 되었다. 우린 책 이야기를 나누고 추천해 주며 소녀의 감성으로 만났고, 늘 좋은 이야기로 에너지를 나누었다. '똑순이'에 '능력자'인 그녀가 진심을 담아 해주는 말에는 힘이 있었다.

나는 그녀를 만나고 시작한 인생 여행에서 많이 배우고 느끼며 성숙하게 되었다. 가장 큰 변화는 무엇보다 나를 사랑하게 되었다. 힘이 들고 지칠 때면 온기를 불어넣어 주는 그녀 덕분에 다시 힘을 낼 수 있었다. 또 다른 도전으로 새로운 공부를 시작한 혜진에게 응원의 메시지를 전했다. 나의 마음이 그녀의 마음에도 닿아 힘이 되길 바라면서 말이다.

나를 사랑한   내가 사랑한
다정하신 우리 아빠는   따뜻하신 우리 아빠는
사람을 정말로 좋아하셨다.   자연을 정말로 사랑하셨다.
아빠의 유쾌한 마지막 인사를 사람들에게 꼭 전하고 싶었다.
아빠가 남긴 마지막 유언 '돈워리 비해피'의 이야기를 담아서
죽기 전에 내 이름이 새겨진 에세이 한 권이 쓰고 싶었다.
혜진이를 만나고, 강사님을 만나고, 글벗들을 만나고,
만남이 계속 이어지면서 많은 기회가 찾아왔다.
언제 어디서 누구와 만나게 될지 모르지만
인생의 인연을 소중히 여기려고 한다.
인연에 따라 달라질 인생이기에.
인생은 어느 순간, 누구를
만나느냐에 따라
달라진다.

♥

3부 - 고마워요 -

든든한 믿는 구석

10년 전 지역 커뮤니티 카페에 글이 하나 올라왔다. 우리가 사는 동네에 마사지하는 곳이 생기면 이용할 생각이 있는지 물었다. 여의도의 사업장을 이곳으로 옮기려고 신중하게 고민 중이라고 했다. 나는 그 당시 왼쪽 날갯죽지가 불편했고, 허리와 머리도 아팠기에 생기면 이용하고 싶다며 댓글을 남겼다. 얼마 지나지 않아 '정안체형'이라는 곳의 오픈 특가 이벤트 글을 읽게 되었다. 예약한 후에 찾아갔다. 이벤트 특가에 원장님의 관리를 받은 나는 고민도 없이 정가 10회권을 결제했다.

아무 말 없이 엎드려 있었는데 나의 아픈 곳을 다 알아차리셨다. 그동안 받아왔던 마사지와는 차원이 달랐다. 신기한 경험이었다. 특히 두피 마사지를 해주셨는데 머리가 땀으로 흠뻑 젖었다. 아픈 곳은 단지 그곳의 문제가 아니라 다른 곳이 안 좋아서 그럴 수 있다고 알려 주었다. 유도 국가대표 출신인 원장님은 키가 크시고 덩치도 좋으셨다. 희한하게 몸의 구석구석을 꿰뚫고 계시는 것 같았다. 어떤 운동을 하면 좋을지도 알려주셨다.

원장님께 마사지를 받으면서 몸도 마음도 치유 받는 느낌이 들었다. 너무 좋아서 주변의 지인들에게 소개했다. 좋은 곳이라 없어지지 않고 오래오래 있었으면 하는 마음이 들었기 때문이다. 서울에 사는 대학 후배가 식사 자리에서 했던 나의 이야기가 기억났는지 연락을 해왔다. 스키장에서 넘어져서 어깨를 다쳤는데 대학병원에서 한 달 치 약을 지어줬다고 했다. 오랫동안 약을 먹는 게 별로라며 그곳을 알려달라고 했다. 후배는 다행히 원장님께 관리받고 좋아져서 약 없이 나았다. 그 후배는 어머님과 사촌을 데려오기도 했다. 입소문을 타고 손님들이 많이 찾아가게 되었다. 다른 지역에 사는 나의 친구도 한 번 받아보고는 좋아서 한동안 관리를 받았다.

사모님은 피부 관리사 자격증을 따셔서 함께 에스테딕 관리도 하고 계신다. 요즘은 산후 관리를 하러 오는 손님도 제법 있는 모양이다. 지역 온라인 커뮤니티에 누군가가 몸이 안 좋다고 추천을 바란다고 하면, 댓글에 빠지지 않고 이곳이 올라온다. 오래된 손님들이 많아서 이제는 당일 예약이 '하늘의 별 따기'가 되었다.

10년 전 지역 커뮤니티 카페에 글을 올린 분은 사모님이었고, 나의 댓글에 용기 내어 이곳에 올 수 있었다고 하셨다. 참 재미

난 인연이다. 내 일인 양 열심히 홍보하고 지인들을 소개했다. 누가 보면 아르바이트라도 하는 줄 알았을 것 같다. 내 돈 주고 내가 관리를 받았고 오히려 감사해서 음료를 사다 드린 적도 있었다. 내 소개로 꽤 많은 손님이 찾아갔고 그분들께도 진심으로 잘 해주셨다. 사모님께서는 마음 편히 기댈 수 있는 그런 동생 같은 내가 있어 기쁘다며 많은 힘이 된다고 하셨다. '든든한 믿는 구석 같은 거?'라고 하셨는데 딱 그 표현이 맞았다.

그분들이 나의 바람대로 오래오래 이곳에 계셔주셔서 감사할 따름이다. 10년이라는 시간이 흘렀지만, 매번 원장님은 처음에 만났을 때처럼 그렇게 관리를 해주신다. 온전한 한 시간의 관리를 받고 나면 몸이 한결 나아지고 마음도 편안해진다. 원장님께 관리 받는 사람들은 아마도 나처럼 몸과 마음의 치유를 받았다고 느낄 것이다. 내가 아니더라도 잘 되었을 곳이지만 든든한 믿는 구석이 되어서 조금이나마 보탬이 되었다니 나름 뿌듯함을 느낀다. 어느새 나에게도 그분들은 든든한 믿는 구석이 되었다.

따뜻한 말 한마디

꼬깃꼬깃 접히고 뭉개진 종이 하나가 아들내미 신발주머니에서 나왔다. 조심조심 펴보니 그리다 만 그림과 쓰다 만 글이 있었다. 아무래도 학교 미술 시간에 하다가 완성하지 못하고 가져온 것 같았다. 선생님께 전화를 걸어 여쭤보니 친구들과 즐거웠던 경험을 그림과 글로 나타내는 활동이었는데, 완성하지 못하고 가져간 것이라고 알려주셨다. 집에서 완성해서 오면 된다고 하셨고, "걱정하지 마세요. 생각이 깊어서 그런 거예요."라며 안심시켜 주셨다. 아들에게 선생님 말씀을 전했더니 엷은 미소를 띠며 멋쩍어했다. 우리 아들 초등학교 2학년 때의 일이다.

"친구들과 즐거웠던 일이 뭐가 있을까?"를 이야기하다 보니 아들은 이것저것 추억이 생각이 나는지 조잘조잘 잘도 떠든다. 기억에 남는 추억거리를 하나 골라 그림 그려 색칠하고, 글도 술술 잘 썼다. 완성작을 보며 뿌듯해하는 아들의 모습에 나도 덩달아

기분이 좋았다. 학교에서 얼마나 당황스럽고 속상했으면 구겨서까지 감추고 싶었을까?

선생님께서 해주신 따뜻한 그 말씀에 감사했다. 선생님의 시선은 맑고 고운 유리알처럼 느껴졌다. 선생님의 별명은 '얼음공주님'이었다. 너무나 예뻐서 다가가기 힘들어 붙여진 별명일까? 상담하러 가서 만난 선생님은 젊고 아름다우며 친절하셨다. 우리 아들은 학교에 가면 선생님의 팔에 손을 갖다 대고는 "선생님, 저 왔어요."라고 인사를 한다고 했다. 선생님께서는 그 인사가 너무 따뜻하고 위로가 된다며 좋아해 주셨다.

2학년에 올라가 처음 받은 가정통신문에 적힌 글귀가 생각난다. '한 아이를 키우려면 온 마을이 필요하다.' 부모, 학교, 이웃이 모두 힘을 합쳐 교육하고 양육하고 키워나간다는 의미인데 아이를 대하는 선생님의 마음이 고스란히 담겨 있었다. 넓은 마음으로 교육을 바라보는 지혜가 있으신 분이라는 생각이 들었다.

매년 '스승의 날'이 되면 난 고등학교 선생님께 인사를 드린다. 벌써 30년이 더 지났다. 아들에게도 "선생님들께 감사 인사를 드리면 어떨까?"라고 했다. 아들은 흔쾌히 좋다고 했다. 선생님들께 감사의 마음을 갖길 바라는 마음이었다. 아들이 카네이션을 직접 그림으로 그리고 색칠했다. 선생님들께 감사 인사를 적고 카네이션이 그려진 사진을 전송하면 따뜻한 메시지로 답을 해주셨다.

따뜻한 말 한마디로 아들은 여전히 미술을 좋아한다. 그림을 그리고 색칠하는 건 밤새도록 할 수 있을 정도로 행복해한다. 여름방학에는 그림을 그려 친구들에게 선물도 했다. 만약 그 시절에 "왜 제시간에 못 끝냈어? 종이는 왜 구겨서 온 거야?"라고 타박했다면 좋아하던 미술을 멀리했을지도 모른다. 미술 심리를 공부하신 선생님이라서 '아이들 마음을 더 깊이 들여다보고 어루만져 주신 게 아닐까?'라는 생각이 든다. 햇살 같은 '안채희 선생님'은 우리 모자(母子)의 기억 속에 오래오래 남을 것이다.

'말'이 주는 힘은 강하다.
우리네 사는 삶이 말로 인해
웃기도 하고, 울기도 하고,
용기를 주기도 하고, 상처를 주기도
한다. 선생님의 따뜻한 말로 마음의
위로를 받았듯이, 나 또한 따뜻한 말
한마디로 가족, 이웃, 친구들에게
좋은 에너지를 줄 수 있는 사람이
되어 보려고 한다. 따뜻한 말이
꼬리에 꼬리를 물고 세상으로
번져나가는 기분 좋은 상상을 해본다.

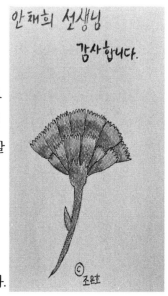

새로운 친구가 생겼다.

나는 친구 혜진의 추천으로 2022년 9월에 영종도서관에서 진행하는 '에세이로 시작하는 글쓰기' 강좌를 듣게 되었다. 설렘과 두려움이 뒤섞인 감정으로 찾아간 도서관에는 10명의 수강생이 있었다. 나는 첫 수업의 어색한 분위기를 풀기 위해 자기소개 시간에 '여진족' 생각하면 기억에 도움이 될 거라고 이야기했다. 다들 웃으며 나의 이름을 모두 기억하게 되었다. '내 발등 내가 찍기'였다. 가뜩이나 떨리는데 족집게 나의 소개로 인해 수업에서 이름이 여러 번 불렸다.

첫 수업에 갑작스러운 글쓰기는 당황스러웠다. 온갖 변명을 하고 도망쳐 나오고 싶었다. 마지막 글쓰기가 언제인지 기억도 나지 않고, 그 글쓰기도 혼자 끄적거리던 낙서가 전부였기 때문이다. 글쓰기의 'ㄱ'도 모르는 글쓰기 초보인 내가 감당하기엔 째깍거리던 시계 소리조차도 두려움이었다.

단톡방에 각자가 쓴 글을 올리고 소개하기로 했다. 매도 먼저 맞는 게 낫다고 제일 먼저 발표했다. 내가 쓴 글이 자신 있어서가 아니라 다들 글을 너무나 잘 썼기 때문이다. 바로 책을 내도 될 것 같은 실력이었다. 책 읽기와 글쓰기를 좋아하는 사람들이 모였을 테니 잘하는 사람들이 오는 게 당연한 거라고 생각이 들었다. 나는 한없이 작고 초라하게 느껴졌다. 악기를 치러 가면 잘하는 편에 속해서 주눅이 들었던 적은 없었는데 말이다.

유독 눈에 띄는 두 사람이 있었다. 얼핏 보아도 단짝 친구처럼 보이는 앳된 두 소녀. 고등학생인 줄 알았는데 24살이라고 했다. 첫 수업에 쓴 그녀들의 글은 상큼하고 깔끔하며 사랑스러웠다. 그녀들의 글솜씨에 나는 그 나이에 뭘 했는지 생각해 보게 되었다.

코로나로 인해 대면 수업은 첫 수업과 마지막 수업 두 번으로 진행되었고, 나머지 수업은 줌에서 만나게 되었다. 순간순간 마음이 약해져 떠나고 싶을 때가 있었지만, 좋은 글을 써주는 사람들 덕분에 버틸 수 있었다. 그분들의 글을 읽는 시간이 소중했고, 사람이 좋아지니 그 시간이 행복해졌다. 보잘것없는 글에 보내주는 따뜻한 소감 한 스푼이 감사했다.

이성혁 강사님께서는 내가 쓴 글은 따뜻하고 흥미롭다며 '대추나무 사랑 걸렸네.' '응답하라 1988'의 느낌이 난다고 하셨다. 단막극으로 나와도 재밌을 것 같다고 계속 글을 썼으면 좋겠다며 응원해 주셨다. 마감 시간이 다가와 초조한 마음에 강사님께 연락 드리면 괜찮다고 기다려 주셨고, 조언에는 따뜻함이 묻어 나왔다.

나는 마지막 수업이 있던 날에 식사 제안을 했다. 참석인원은 강사님과 24살 두 소녀, 그리고 나. 이렇게 4명이었다. 나는 강사님과 그 친구들에게 맛난 밥 한 끼를 대접하고 싶었다. 그녀들은 감사하다고 다음엔 자기들이 사겠다며 숨은 맛집을 알려 주었다.

연서 님은 매번 수업에서 희한하게 나와 겹치는 글감으로 글을 썼다. 마지막 수업에서는 둘 다 똑같이 '면죄부'라는 단어를 써서 신기해했다. 결이 닮은 사람은 끌린다고 하더니 나도 모르는 새에 연서 님에게 스며들고 있었다. 그녀가 선물이라며 책을 한 권 내밀었다. '어린이라는 세계' 김소영 작가님의 에세이였다. 기억에 남는 글귀에는 표시를 해두었다고 했다. 연두색 플래그 포스트잇이 중간중간 붙어있었다. 겉표지도 연두 연두 한데 포스트잇까지 더하니 책에서도 그녀의 풋풋함이 묻어 나왔다. 나중에 읽는데 마치 내가 붙인 포스트잇 같아 미소가 절로 지어졌다.

얼마 만에 받아보는 손 편지인지 '제가 제일 좋아하는 여진님 ㅎㅎ' 심쿵했다. 연애편지를 받는 기분이었다. 나의 글은 왜인지 항상 눈물을 흘리게 되는 불문율이 있었다고, 따뜻하고 울림이 있는 글이었다며, 매주 좋은 글을 선물해 주어 감사하다는 내용

이었다. 아이들을 가르쳤던 경험을 책으로 써보면 좋겠다는 조언
도 해주었다. '이를 어쩌지?' 글쓰기 걸음마를 시작한 나는 그녀
에게 받은 편지 한 통에 용기가 퐁퐁 샘솟았다. 매주 글을 쓰며
느끼던 '창작의 고통에서 벗어나겠구나!' 하고 만세를 불렀는데 말
이다.

나는 연말에 그녀들을 만났다. 그녀들이 좋아할 만한 책을 오
랜 고민 끝에 골랐다. 연서 님에게는 정여울 작가님의 <가장 좋
은 것을 너에게 줄게>, 윤희 님에게는 김상욱 작가님의 <떨림과
울림>을 선물했다. 신세대인 그녀들의 추천으로 숨은 맛집에서
맛난 음식을 먹으며 '막걸리 & 사이다'를 마셨다. 그 막걸리는
내가 세상에 태어나서 먹어본 막걸리 중에 가장 달콤했다. 카페로
옮겨 우리들의 수다는 계속되었다.

결이 닮은 사람은 나를 억지로 꾸미지 않아도 되고, 불편함을
굳이 참아낼 필요가 없어서 함께하는 시간이 편안하다. 그래서 그
런지 우리는 시간 가는 줄 모르고 한참을 이야기했다. 결혼을 빨
리한 내 친구의 자녀와 비슷한 나이인 그녀들이 '글벗'이 되었다.
'나이는 숫자에 불과하다.'라는 말은 이럴 때 쓰라고 있는 말인가
보다. 글쓰기가 만들어 준 소중한 인연. 글을 통해 벗이 된 그녀
들과 진솔하고 깊은 우정을 쌓아가고 싶다.

나를 낮게 하는 사람

사랑하는 언니를 떠나보낸 가을 끄트머리쯤엔 멍하니 앉아 있기 일쑤였고 마음은 늘 헛헛해지곤 했다. 나는 뭐라도 해야 할 것 같아서 세 살 아들에게 군밤을 해주려고 조그만 밤에 칼집을 내고 있었다. 그 칼은 손잡이까지 다 해 고작 내 손 한 뼘 정도 크기였다. 오른손잡이인 나는 오른손엔 칼을 왼손엔 밤을 들고 있었다. 순간 칼이 밤을 빗겨나가 내 엄지손가락과 손바닥을 지나갔다. 그것도 칼자루와 손잡이가 연결된 90도의 각을 이루는 칼끝이 말이다. 선명한 빨간 피가 쉴 새 없이 흘러나왔다. 흐르는 물에 상처 부위를 갖다 대고는 키친타월을 둘둘 말았다. 어린 아들이 놀랄까 봐 최대한 침착하게 마음을 가다듬었다.

제일 먼저 남편에게 전화했다. 다른 지역으로 출장을 나가 있다고 했다. 남편은 119에 신고를 해주었고 나는 지인들에게 도움을 청했다. 구급차와 동시에 지인들이 도착했다. 가까이 사는 친한 언니에게 아들을 부탁하고선 남편 친구와 함께 구급차를 타고 응급실을 향했다. 가는 동안 구급대원에게 물어보니 손바닥은 꿰매면 될 것 같은데 손가락은 잘 모르겠다고 했다. 내가 느끼기에도 손가락의 상처는 심상치 않았다.

응급실에 도착하니 양동이를 바닥에 놓고는 소독해야 한다며 상처 부위에 맑은 물 같은 걸 계속 부었다. 양동이는 핏물로 가득 찼고 피비린내가 진동했다. 내가 다른 지혈제를 쓰지 않은 건 정말 다행이었다. 내 상처는 깊었기에 임의로 사용하면 2차 감염이 된다고 했다. 나는 사고 당시 흐르는 물에 씻고 키친타월로 감싼 뒤 본능적으로 심장 위로 손을 올리고 있었다.

의사는 나의 손가락과 손바닥에 마취 주사를 놓았다. 여러 번 마취를 해봤지만 이렇게 아픈 주사는 태어나서 처음이었다. 치료 과정은 차마 내 눈으로 볼 수 없었다. 살 타는 냄새가 잠깐 났고 봉합한다고 했다. 꿰맨 후에야 내 손을 볼 수 있었다. 20바늘 가까이 꿰맨 상처는 프랑켄슈타인의 얼굴을 떠올리게 했다. 붕대를 감고 약을 받고선 병원으로 온 남편과 함께 집으로 향했다. 늦은 오후에 집을 나섰는데 깜깜한 한밤중이 되어서야 집에 왔다. 무슨 꿈을 꾼 것만 같았다.

2주 후에 실밥을 풀었다. 내 손가락은 마치 소시지처럼 탱탱하게 부어있었고, 실밥의 자국이 고스란히 남아있었다. 악기를 다뤄야 하는 나는 영영 손가락 감각이 돌아오지 않고 부기가 빠지지 않을까 봐 두려워졌다. '기다리면 낫겠지.'라고 생각했는데 쉽사리 나아지지 않았다. 나는 동네 병원에 갔다. 의사는 신경이 돌아올지 안 돌아올지 장담은 못 하겠다고 했다. 운명에 맡기는 수밖에.

나의 슈퍼맨 한의사 원장님께 전화했다. 침을 맞으러 오라고 하셨다. 걱정을 한가득 안고 이야기하니, 언제나처럼 "침 맞으면 나아요."라고 하신다. 마취 주사의 아픔을 경험했던 나는 맞기도 전에 심장이 밖으로 튀어나올 뻔했다. 침도 예외는 아니었다. 침을 맞고 빼려는데 내 손가락의 근육들이 힘을 똘똘 뭉쳤는지 침을 먹어버려서 빠지지 않았다. 겨우 침을 빼고 나서야 안도의 한숨을 내쉬었다. 너무 아파서 한 번 치료를 받고는 갈 수가 없었다. 도저히 용기가 나지 않았다. 그런데 신기하게도 하루하루 각질이 벗겨지더니 손가락의 부기가 빠졌고 구부러지게 되었다.

나는 2010년에 아기를 낳고 지인의 소개로 신촌에 있는 '현한의원'을 찾아갔다. 병원에서는 수술해야 한다는 환자였는데, 원장님의 침을 맞고 나았다는 얘기에 반신반의(半信半疑)하며 찾아갔다. 손목엔 보호대를 하고 두통으로 고생하며 밤낮없는 모유 수유로 만신창이가 되었을 때였다. 문진하는 짧은 시간에 손목과 머리에 침을 맞고는 괜찮아졌고, 지어온 약을 먹고는 쌩쌩해졌다. 그 이후로 쇄골 아래 혹이 났을 때, 허리가 삐끗했을 때, 발목을 다쳤을 때 신촌으로 원장님을 만나러 갔다. "침 맞으면 나아요." 소리가 듣고 싶어서였을까? 신기하게도 두 번 정도 침을 맞고 나면 좋아졌다. 다른 한의원과는 다르게 물리치료나 찜질도 없이 오롯이 침만 놓는데 굵고 짧은 치료도 마음에 들었다.

원장님의 지론은 침을 맞고 다음 날 나아지지 않으면 효과가 없는 거라고 하셨다. 정곡을 찌른다는 표현이 맞는지 모르겠지만 원장님의 침은 진짜 아프다. 아픈 만큼 치료는 잘 된다. 다치고 아픈 거는 정말 싫지만 낫게 해줄 원장님이 계셔서 마음 한편엔 늘 든든함이 자리 잡고 있다.

얼마 전에 기사 하나를 보게 되었다. 외국에 등반을 나갔다가 동상에 걸려 걷지도 못하고 휠체어를 타고 한국에 오게 된 사람의 이야기였다. 그 사람의 발가락은 까맣게 변해있었다. 병원에서는 절단 수술을 해야 한다고 했는데, 가족들은 동상으로 유명한 한의원을 수소문해서 한의사에게 치료받게 했다. 처음엔 침을 깊숙이 찔러도 아무런 감각을 느낄 수 없었다고 한다. 침 치료를 한참 받던 중 어느 날 통증을 느끼게 되었고, 고통의 시작은 그때부터였지만 치료받고 나서는 정상적으로 걸을 수 있게 되었다고 한다.

보이지 않는 힘. 몸과 마음의 상처를 어루만져 주는 그들의 마음과 낫게 해줄 거라는 우리들의 믿음이 통하여 거짓말 같은 때로는 기적 같은 일들이 벌어지는 것은 아닐까?

10년 전에 침 맞고 괜찮아졌던 나의 허리가 얼마 전 탈이 났다. 이번엔 원장님께서 많이 안 좋다며 서너 번은 치료받아야 할 것 같다고 하셨다. 두 번 갖고 안된다며 한탄하는 나에게 친구가 삼십 대랑 사십 대랑 똑같겠냐고 조금 더 치료받으면 낫게 될 거라며 위로해 주었다. 다행히 세 번을 맞고 나니 괜찮아졌다.

이번에도 통했다.
"침 맞으면 나아요."

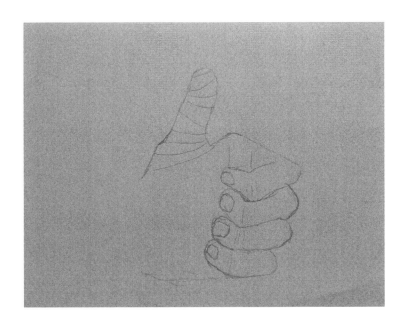

모두를 행복하게 하는 친절

난곡동에 아주 친절한 주인이 하는 서점이 있다. 그 친절함을 어떻게 알 수 있었냐면 오랜지기 친구의 연락과 네이버의 리뷰를 보고 알 수 있었다.

나의 가장 어릴 적 친구한테서 연락이 왔다. 그녀와의 어린 시절을 추억하자면 '옛날 옛날 아주 먼 옛날~'로 돌아간다. 내 기억 속에 존재하는 첫 친구이기에. 중학교에 들어가서 친구에 대해 쓰는 글이 있거나 친구 얼굴을 그릴 때면 주인공은 그녀였다. 내가 제일 잘 아는 친구였다. 고등학교는 다른 곳으로 가게 되어 예전처럼 가깝게 지내지는 못했고, 그녀가 결혼을 빨리해서 만남에는 한계가 있었다. 결혼 후 시부모님과 살게 되었고, 수많은 추억을 뒤로한 채 잘 만나지 못하고 연락도 생각처럼 자주 못했다. 친구는 스무 살이 갓 넘어 결혼해서 성인이 된 딸이 있다. 그녀의 딸이 태어났을 때 나는 라디오에 사연을 보냈다. 어릴 적 친구여서 늘 어리게만 느꼈는데 아기를 낳은 게 신기하기도 했고, 특별한 축하를 해주고 싶었다. 내가 좋아하는 DJ가 사연을 읽어주고 신청곡을 틀어 준 기억이 난다. 그 아기가 태어난 게 엊그제 같은데 벌써 스무 살이 넘었다니 믿어지지 않는다.

어느 날, 친구 딸이 자기 단골 서점이 있는데 사장님이 엄청 친절하다며 함께 가자길래 친구는 따라나섰다고 한다. 친절한 사장님이 궁금했던 내 친구는 깜짝 놀라고 말았다. 딸이 말한 사장님이 바로 우리 오빠였던 거다. 그렇게 큰 딸이 있는지 몰랐던 오빠는 단골손님이 내 친구의 딸임에 놀라고, 오빠의 소식을 몰랐던 친구는 친절한 서점 사장님이 오빠임에 놀랐다. 오빠한테도 친구한테도 연락이 왔다.

'친절함이 만들어낸 인연일까?' 오빠 덕분에 오랜 지기와 오랜만에 다시 만났다. 내가 몰랐던 오빠의 다른 모습을 알게 되었다. 조용한 오빠여서 무뚝뚝한 사장님일 줄 알았는데 반전이었다. 네이버 리뷰에도 친절하다는 이야기가 많이 있었다. 나는 오빠한테 물었다. "오빠는 서점 하면서 행복해?" 나의 질문에 해맑은 표정 (태어나서 오빠의 이런 모습을 본 것은 처음이다.)으로 답했다. "사람들에게 필요한 책을 찾아주거나 구해주면 엄청나게 고마워하고 행복해해. 그런 모습을 보면 기분 좋고 뿌듯해." 서점에 대한 오빠의 진심이 느껴졌다. 새언니는 곱고 상냥한 목소리로 함께 있는 사람을 기분 좋게 한다. 새언니의 친절함도 좋은 책 서점을 찾게 만드는 매력이라고 생각한다. 오빠는 선영 오빠가 선물로 준 턴테이블에 LP판을 틀어 놓고 추억의 노래를 들으며 손님들을 만나는 게 행복하다고 했다. 학창 시절에 등교 전 식사하는 짧은 시간에도 LP판의 노래를 들었던 오빠였다. 나는 지나가다 LP판을 판매하는 곳이 보이면 오빠 생각에 발걸음을 멈춰 선다. '음악이 함께하는 동네 책방'이 왜인지 정겹게 느껴진다.

친절은 신기하게도 베푸는 사람과 받는 사람 모두를 행복하게 한다. 오빠와 새언니의 친절로 서점을 찾는 사람들이 많아졌으면 좋겠다. <좋은 책 서점> 이름처럼 좋은 공간이 되어 많은 사람의 사랑을 받았으면 좋겠다. 그 사랑 속에서 오빠가 좋아하는 일을 오래오래 할 수 있게 됐으면 하는 바람이다.

<좋은 책 서점>에서 행복을 만나세요!

내가 죽어도 나를 기억하는 사람

아빠가 돌아가시고 5년이 지난 어느 날에 엄마한테 전화 한 통이 걸려 왔다. 아빠가 돌아가신 지 5년이 되는 해라며 우리 가족과 아빠의 동생들, 아빠의 친구들과 함께 모였으면 좋겠다는 아빠 친구의 전화였다. 아빠와 친하고 아빠를 좋아하셨던 대학 동창이다. 나는 일이 있어 그 자리에 참석하지 못했지만, 몇몇 분들이 모이셨다. 아저씨가 식사 대접을 하셨다고 한다. 아저씨도 병을 앓고 계신다고 전해 들었는데 병중에 아빠 생각이 나셨나 보다.

아빠가 돌아가시기 전에 아빠는 친구분의 사망 소식을 듣고 장례식장에 다녀오신 적이 있었다. 아빠의 표정이 너무 안 좋으셔서 여쭤봤더니 친구 손님이 두 명만 왔다고 하셨다. 어쩌면 본인 상이라고 이렇게 안 올 수가 있냐며 씁쓸해하셨다. 나이가 드시면서 눈물샘이 열렸는지 이날 소주잔을 기울이시던 아빠의 눈가에 눈물이 고였다.

사람 좋아하시던 아빠의 장례식장엔 사람들로 북적북적했다. 오빠와 나에게 인생의 가장 큰 재산은 친구라던 아빠였다. 오빠와 내 친구가 오면 늘 환영해 주며 잘해주셨다. 오빠 친구들은 아빠 덕분에 낚시의 세계를 알게 되었다고 한다. 오빠들은 2박 3일을 우리와 함께해 주고 아빠의 관도 들어주었다. 아빠의 장례식장은 밤낮으로 손님이 끊이지 않았고 줄을 서서 조문하기도 했다. 도우미 여사님께서는 많은 장례식장에 함께 했지만 이렇게 할아버지 손님이 많은 건 처음 본다며 어떤 분이셨는지 물으셨다. 79세의 아빠 장례식엔 지팡이를 짚고 절뚝거리며 오신 분들이 많았다. 걷기도 힘드신데 옆 사람의 부축을 받아 가며 기어이 절을 하셨다. 여기저기 눈물을 흘리며 술잔을 기울이시는 모습을 보고 있자니 내 눈에도 눈물이 고였다. 아빠는 없었지만, 아빠의 기억으로 가득했다. 내가 알던 아빠도 있었고, 내가 모르던 아빠도 있었다.

아빠는 병원에 입원하고 나서 친구분들과 연락을 안 하셨다. 아빠의 아픈 모습을 보여주고 싶지 않다고 하셨다. 아빠는 병명을 알고 2개월 만에 세상을 떠나셨다. 얼마 전까지 만났던 친구인데 갑작스러운 소식에 친구분들은 많이 놀라셨다. 제대로 된 인사도 하지 못한 채로 친구들과 이별하셨다. "아빠 가시는 길 외롭지 않게 친구분들이 많이 오셨네. 아빠, 행복하지?" 새벽 일찍 발인에 함께 해주시는 분들이 많았다. 화장장에서도 기다려 주시고 아빠의 수목장이 끝나는 순간까지도 함께 해주셨다. 5주년 모임을 제안한 아저씨도 이날 우리 옆에서 끝까지 계셔주셨다.

아빠가 떠난 5주년을 기억하며 아빠가 사랑하는 사람들이 한자리에 모일 수 있게 해주신 친구분의 마음은 큰 감동이었다. 자식이 없으셔서 오빠와 나를 자식처럼 예뻐해 주시고 늘 우리에게 "아드님, 따님"이라고 존대를 해주시던 분. 감사하고 또 감사합니다. 우리 아빠 잊지 않고 기억해 주셔서요.

"아빠는 좋겠네. 내가 죽었는데 나를 기억하고 가족, 형제까지 챙기는 친구가 있어서 말이야."

마음 부자 사람들

타인에게 고운 생각과 고운 말투로 따뜻한 말을 하는 진짜 어른들을 만났다. 이분들의 공통점을 찾아냈다. 타인의 시간을 굉장히 소중하게 여기고 고맙다는 인사를 아낌없이 하신다는 것이다. 밥을 사주신다기에 약속을 잡았는데 "시간을 내주어 고마워요."라고 하신다. 식사할 때는 또 "맛있게 먹어줘서 고마워요."라고 하신다. 고맙다는 인사엔 "고마워해줘서 고마워요."라고 하신다.

인생 선배님들을 만나고 내가 자주 하는 인사가 있다.
"귀한 시간 내주셔서 감사합니다."

누군가가 밥이나 차를 사줄 때는 당연히 고맙다고 인사를 하고, 내가 사줄 때는 고맙다는 인사를 들었었다. 그런데 밥을 사주고도 고맙다고 하시는 어른들이 처음엔 좀 충격이었다. 사주는 사람이 고맙다는 인사를 하는 건 처음이었기 때문이다. 선물해 주신 옷을 입고 나가 잘 맞는다고 고맙다는 인사를 하면, 잘 입어줘서 고맙다고 인사를 하신다. 선물 주신 물건이 마음에 든다고 하면 기쁘게 받아줘서 고맙다고 하신다. 내가 뭔가 보답하려고 하면 "젊은 사람은 지갑 여는 거 아니에요."라고 하시며 한사코 말리신다. 그럴 때면 받으실 수밖에 없는 선물을 마음 담아 전한다.

마음 부자 사람들은 칭찬을 아끼지 않는다. 상대방이 잘하는 것에 있어서 칭찬을 아끼지 않는다. 그리고 더 발전할 수 있는 길을 알려주며 응원해 준다. 칭찬과 응원을 해주시는 어른들의 모습에서 나 또한 배운다.

나는 참된 어른이 될 수 있게 길라잡이가 되어주시는 좋은 어른들과의 인연에 감사함을 느낀다. 다양한 삶을 살아오신 분들의 경험 이야기 속에서 삶의 지혜를 배우게 되었다. 그리고 좋은 말을 베푸는 것의 따뜻함도 알게 되었다. 좋은 에너지를 가진 진심어린 어른들의 마음이 전해져 나도 마음 부자가 되어가고 있다.

고민하는 어른, 행동하는 아이

중학생이 된 아들이 배구부 동아리에 들었다. 배구에 푹 빠져 매일 저녁이면 영마루 공원에 나간다. 운동을 좋아하는 나는 함께 길을 나선다. 운동하기 좋은 날씨라 그런지 공원에는 제법 사람들이 많았다. 농구하는 남학생들, 트랙을 따라 걷거나 뛰는 사람들, 옹기종기 모여 이야기꽃을 피우는 여학생들로 활기가 넘쳤다. 공원을 둘러보는데 잔디 구장 모서리 부근에 있는 쓰레기 더미가 눈에 들어왔다. 모른 척 외면을 하려고 해도 자꾸만 신경이 쓰였다. 한숨을 쉬며 양팔을 깍지 낀 채 고민하고 있었다. '집에 가서 쓰레기 봉지를 가져올까?'라고 생각한 그 순간 학생들 4명이 갑자기 나타나더니 쓰레기를 둘러싸고 털퍼덕 앉았다. 가방에서 비닐봉지와 소형커터 칼을 꺼냈다.

"쓰레기 정리하러 온 거니?"

"네."

나의 물음에 답한 학생들 옆에 나도 자리를 잡고 앉았다.

3장의 봉지에 캔, 플라스틱, 일반쓰레기를 분류해서 넣었다. 플라스틱병에 있는 뚜껑은 따로 버려야 한다면서 뚜껑과 뚜껑의 연결부위를 일일이 다 빼서 분류했다. 어찌나 꼼꼼하게 하던지 한두 번 해본 솜씨가 아니었다. 여럿이 치우다 보니 금세 깨끗해졌다. 쓰레기를 모아서 쓰레기통이 있는 곳으로 갔는데 그곳 또한 엉망이었다. 문제점을 제대로 파악한 아이들은 나와 함께 도리도리 고개를 흔들었다. 아이들이 기특해서 지역 맘카페(지역 엄마들의 인터넷 모임)에 오늘 일을 올려야겠다고 이야기했다. 아이들은 "사람들이 함부로 쓰레기를 버리지 않았으면 좋겠고, 잔디 구장 근처에 쓰레기통을 설치해 주면 좋겠어요."라며 꼭 전해달라고 했다.

대한민국의 미래가 밝다고 폭풍 칭찬을 해줬다. 나는 어떻게 이런 기특한 생각을 했냐고 물었다. 중학교 2학년 여자아이가 "다 같이 쓰는 공간인데 누군가 치우겠거니 생각할 때 먼저 나서서 선한 영향력을 끼치고 싶었어요."라고 했다. "도와주셔서 감사해요."라며 혼자서 치우기에는 역부족이어서 6학년 동생들을 불러서 함께 치우러 온 것이라고 했다. 함께 가자고 데리고 온 중학생과 흔쾌히 시간을 내어서 와준 초등학생들 모두 너무나 사랑스러웠다.

그날 이후로 나에게 바뀐 점이 있다. 공원에서 쓰레기가 보이면 고민하지 않고 줍는 것이다. 공원에 나가는 날이면 줍깅(조깅을 하는 동안 눈에 띄는 쓰레기를 줍는 일)을 한다. 아들도 아들 친구도 옆에서 따라 줍는다. 풋살장에는 유독 쓰레기가 많다. 하루는 풋살장에 쓰레기를 주우려고 들어갔다. 놀고 있던 아들 친구들에게 양해를 구하고 쓰레기를 주웠다. 아이들은 "저희가 버린 거 아니에요. 근데 자원봉사 하시는 거예요?"라고 물어보고는 함께 쓰레기를 주웠다. 도와달라는 말을 한마디도 하지 않았는데 말이다. 여럿이 함께 치우니 금세 깨끗해졌다.

고민하는 나의 모습과 행동하는 아이들의 모습. 고민할 일이 아니었음을 행동으로 보여준 아이들에게 배웠다. 아이들의 모습에서 따뜻하고 밝은 세상을 보게 되었다. 분명 누군가 한두 명이 쓰레기를 같은 곳에 버렸을 것이고, 이후로 사람들은 그곳에 쓰레기를 더했을 것이다. 반대로 한두 명이 쓰레기를 치우면 그 모습을 보고 '치우지는 않아도 적어도 버리지는 않겠지?'라는 생각을 해본다. 그 아이의 선한 영향력이 더 나은 세상을 만들기 위한 활동에 함께 하도록 나를 이끌었다. 나 또한 선한 영향력을 전하는 '괜찮은 어른'이 되고 싶다.

영마루 공원의 천사들! 고마워요!

가까운 이웃이 먼 친척보다 낫다

가까이 사는 남이 어려울 때 도와주는 일이 많기에 멀리서 사는 친척보다 때로는 더 나을 수도 있다는 뜻의 '가까운 이웃이 먼 친척보다 낫다.'라는 속담이 있다. 결혼하고 친정, 시댁, 친척도 없는 곳에 살다 보니 이곳에서의 생활은 딱 이 속담에 맞았다.

처음에 와서 살 때는 '이웃'이 그렇게 큰 의미가 없었다. 외로움을 제외하고서는 불편함을 그리 느끼고 살지 못했다. 그런데 아이를 낳고 주변에 아는 사람 없이 보내는 건 너무 힘든 일이었다. 우연한 기회에 사람을 사귀게 되었고 아이에게는 친구가 나에게는 이웃이 생기게 되었다.

놀이터에 나가면 아들과 동갑내기 친구들이 많았다. 엄마들과도 친밀도가 쌓이고 아이에게도 친구들이 생겼다. 생일파티를 하고,

식사도 하고, 놀이터에서 함께 놀게 하면서 더 이상 이곳은 외로운 곳이 아니었다. 줄 것이 있다며 지나가다 들르라던 언니는 내가 좋아하는 반찬을 챙겨주었다. 차갑고 무뚝뚝하게 봤던 선입견으로 다가가기 어려웠는데 언니는 마음 깊은 사람이었다. "사람은 겪어봐야 써."라며 언제든지 놀러 오라고 했다. 그리고 동생이지만 늘 먼저 챙겨주는 지인 덕분에 잊었던 '베풂의 삶'을 다시 생각할 수 있게 되었다. 어느덧 이곳은 나에게 고맙고 따뜻한 곳이 되었다.

급한 일이 생길 때는 이웃들이 서로 부탁해서 들어 주었다. 특히 아빠가 편찮으셨을 때 흔쾌히 아들을 봐주는 이웃들 덕분에 나는 마음 편하게 병간호를 할 수 있었다. 이웃들은 코로나 때에 약이나 간식을 챙겨 문 앞에 놓아주기도 했다. 아프거나 다쳐서 병원에 가야 할 땐 동행해 주었고, 응급실에 가게 되어 아이를 혼자 둘 수 없을 때면 시간에 상관없이 아이를 봐주기도 했다. 공연 소식에는 귀한 시간 내서 보러 와주고 응원을 보내주었다. 이 모든 것은 멀리서는 마음이 있어도 해줄 수 없는 일들이다.

그들이 아니었으면 아마도 외로움과 힘듦 속에서 허우적대고 있었을지도 모른다. '좋은 이웃들이 있었기에 이렇게 잘 살아올 수 있지 않았나.'라는 생각이 든다. 이웃의 누군가가 내 도움이 필요하다면, 상황이 허락하는 한 도움이 되어주고 싶다. 내가 받은 그 도움을 나눠 주고 싶다.

'나라서 다행이다.'

난 외국어 울렁증이 있다. 이런 나에게 어느 날 외국인이 말을 걸어왔다. 그날은 몸이 안 좋아서 신촌에 있는 한의원에 가려고 지하철을 탔다. 간만의 외출이라 가는 김에 엄마 얼굴도 보고 와야겠다고 생각했다. 나는 휴대전화를 꺼내 들고 문자를 보내고 있었다. "Excuse me~" 깜짝 놀라 고개를 들었다. 금발의 긴 생머리 여인이 서 있었다. 스페인에서 왔다고 했다. 번역기를 돌려가며 얘기하는데 중국으로 떠나기 전에 잠시 서울 구경을 하러 나왔다고 했다. 그녀가 비행기 시간을 알려 줬는데 얼마 남지 않았다. '오 마이 갓!' 지금 공항으로 가도 비행기를 탈 수 없다고 알려줬다. 그녀는 너무 당황해하며 발을 동동 굴렀다. "하……."

미소 짓던 그녀의 얼굴엔 어두운 그림자가 드리웠고 금방이라도 울음을 터트릴 것만 같았다. 모른 척 외면할 수 없었다. 말도 통하지 않는 외국에서의 이런 상황을 떠올려보니 상상만으로도 아찔했다. 한의원 치료는 다음으로 미루기로 했다. 지금, 이 순간 해결하지 않으면 안 될 일이 눈앞에 펼쳐졌으므로 그녀와 동행하기로 했다. 그녀와 나는 우선 왔던 길을 다시 돌아가야 해서 반대편 열차로 갈아탔다. 항공사로 연락했더니 시간 변경은 안 되고 취소 후 다시 티켓팅을 해야 한다고 했다. 우리는 처음 열차를 탔던 운서역에 내렸다. 그녀가 묵었던 운서역 근처의 숙소 '골든 튤립 호텔'에 가서 짐을 챙겨 부랴부랴 인천공항으로 향했다.

그녀는 최대한 빨리 중국의 청도로 가고 싶어 했다. 공항에 도착하자마자 갖고 있던 티켓을 취소하고 환불받았다. 그러고 나서 최대한 이른 시간에 중국 청도로 출발하는 가장 저렴한 티켓을 구매했다. 그제야 우리는 한숨을 돌렸다. 어느 순간 낯선 외국인인 '그녀와 나'는 '우리'가 되었다. 다시 미소를 되찾은 그녀를 보니 내 마음도 편안해졌다. 그녀는 "Thank you very much." 연신 인사를 하며 어쩔 줄 몰라 했다.

나는 기왕 이렇게 된 거 마지막까지 함께 해주기로 했다. 말도 통하지 않는 외국인들끼리 번역기를 돌리고 보디랭귀지를 해가며 이런저런 이야기를 나눴다. 음성을 번역해 나오는 거라서 가끔은 얼토당토않은 단어들이 튀어나와 애를 먹기도 했다. 다른 말은 잘 못 알아들어도 '고맙다.'라는 인사는 찰떡같이 알아들었다. 출국장 안으로 들어가기 전 그녀는 나를 꼭 안아주었다. 그리고 그녀의 목에 걸치고 있던 스카프를 나의 목에 둘러 주었다.

푸른 계통의 재킷을 입게 되면 그녀가 주고 간 하얀색과 하늘색과 남색이 섞인 커다란 스카프를 두르곤 한다. 스카프를 두르는 날은 유독 그날의 일이 떠올라 미소 짓게 된다.

실은 처음에 '그 수많은 사람 중에 말을 시킨 사람이 왜 하필 나였을까?'하고 약간의 원망을 했다. 하지만 그녀와 함께 이동하며 안심하는 모습을 보니 '그 수많은 사람 중에 말을 시킨 사람이 나라서 다행이다.'라는 마음으로 바뀌었다. 바쁘다는 핑계로 그녀를 외면했다면 아마도 두고두고 후회하지 않았을까 싶다. 그날 밤에 잠 못 이루고 그녀의 안부를 걱정했을 것이다. 출국장 입구에서 우리는 한참 동안 손을 흔들었다. 그녀의 눈가에는 눈물이 고였다.

머리 색깔, 눈 색깔, 피부 색깔이 다른 두 여인이 주인공인 해피엔딩 영화 한 편을 찍은 듯했다. 원망, 따뜻함, 뭉클함이 공존했던 나의 하루는 붉은 노을과 함께 저물어 가고 있었다. 원망으로 시작한 만남이었지만 친절함으로 얻을 수 있는 행복을 느끼게 해준 그녀에게 오히려 감사한 하루가 되었다.

★

꿈꾸고
상상하는
일을
멈추지 말아요 !

ⓒ조은호

4부 - 응원해요 -

용기 있는 선택

20대의 나는 축구에 관해 관심도 없었고 잘 알지도 못했다. 축구 경기를 직관한 것은 아빠의 조기축구회에 따라가 구경한 것이 전부였고, TV에 축구가 나오면 재빨리 채널을 돌렸었다. 그랬던 내가 2002년 월드컵 첫 경기 때 친구의 제안으로 광화문에서 거리 응원을 하게 되었다. 우리는 목청 높여 응원하고 노래했다. 골이 들어가면 모두가 부둥켜안고 함성을 지르며 기쁨을 함께 나눴다. 그날 첫 경기에서 우리나라가 폴란드를 2:0으로 이겼고, 우리나라 전체가 축제 분위기가 되었다. 역대 5회 월드컵에 출전해서 단 한 경기도 이기지 못했던 우리나라였다. 16강만 가도 기적이라고 했는데 그 후에 미국과는 1:1로 비기고, 포르투갈을 상대로 1:0으로 이겨 당당히 조 1위로 16강에 진출하게 되었다.

2002년 6월 18일. 16강 이탈리아와의 경기가 열리던 날이었다. 현장에서만 느낄 수 있는 그 짜릿함과 감동은 '거리 응원'이라는 새로운 문화에 빠져들게 했다. 나는 붉은악마 티셔츠를 입고 친척들과 친구 선화와 함께 광화문을 향했다. 대한민국은 붉은색 물결로 완전히 뒤덮였다. 서울 사는 사람 모두가 광화문에 모인 것 같았다. 자리에 앉고 나면 화장실조차 가는 게 쉽지 않았다. 오랜 시간 기다림 끝에 경기가 시작되었다. '대~한민국 짝짝짝 짝짝', '오 필승 코리아'를 외치며 모두 한마음으로 응원했다.

전반 4분에 안정환 선수가 페널티킥에 성공하지 못해서 선취골의 기회를 놓쳐버렸다. 전반 18분에 비에리 선수가 골을 넣으면서 1:0으로 끌려가기 시작했다. 열심히 응원은 하고 있었지만 내심 불안한 마음이 들었다. 경기가 끝나갈 무렵 설기현 선수가 동점 골을 넣었다. 광화문 광장은 함성으로 가득했고, 열광의 도가니에 빠지게 됐다. 연장전에서는 어느 팀이든 먼저 골을 넣으면 자동으로 경기가 끝나는 골든골 방식이었는데, 안정환 선수의 헤딩슛으로 우리나라가 승리하게 되었다. 여기저기 환호성이 터져 나왔고, 눈물을 흘리는 사람들도 있었다. 모르는 사람과도 끌어안고 방방 뛰고, 그야말로 축제의 한마당이었다.

고등학교 때 대동놀이를 이끌었던 경험으로 나는 선두가 되었다. 나의 일행들은 내 뒤로 기차를 만들었다. 사람들이 하나둘 붙으면서 긴 기차가 되었고 맞은 편의 사람들과 하이 파이브를 하며 지나가고 있었다. 그런데 황당한 일을 당했다. 하이 파이브를 하던 사람 중 한 명이 내 손바닥이 아닌 가슴을 치고 갔다.

'모른 척 넘어갈 것인가? 쫓아가 혼꾸멍을 내줘야 할 것인가?'
선두에 있었기에 고민스러웠다. 그냥 지나칠 수가 없었다. 그렇게
되면 내 뒤에 있던 수많은 여성이 나와 같은 일을 겪을 것만 같
았다. 나는 그놈을 쫓아갔다. 그놈은 빛의 속도로 도망을 가기 시
작했다. 실수였을지도 모른다는 조금의 희망이 있었는데, 도망가
는 것을 보니 의도적인 것이 확실했다. 나 또한 달리기라면 자신
있었기에 쫓아가서 날아 차기로 쓰러뜨린 후 정말 마구마구 패줬
다. 나는 경찰을 불러 달라고 했다. 바닥에 웅크린 채 머리를 숙
이고 있던 그놈이 내 생애 처음 주먹을 휘두르게 했다. 어디서
그런 힘이 났는지 그런 용기가 났는지는 모르겠다. 사람들은 나를
말렸고 그놈은 친구의 부축을 받아 도망가 버렸다.

올해의 월드컵을 보면서 문득 그때 일이 떠올랐다. 지금은 생
각이 많아 선뜻 용기를 내지 못하는 겁쟁이가 됐지만, 용기 있던
20대의 나에게 칭찬해 주고 싶다.

아들이 여섯 살 정도 되었을 때 일이다. 놀이터에서 아이들 놀
이기구를 망가질 정도로 험하게 타는 중학생들이 있어서 하지 말
라고 이야기하고 있었다. 아는 어르신이 나에게 손짓하며 조용히
한 쪽으로 부르셨다. 세상이 무서워졌다고 내 아이한테 해코지할
까 겁난다며 그만하라고 말리셨다. 그 이야기를 듣고 나서는 아이
들의 잘못을 봐도 쉽게 말할 수가 없게 되었다. 나이는 더 많이
먹고 어른이 되었는데 용기의 마음은 작아져 버렸다.

'용기의 문제일까? 세상이 변한 걸까? 다시 용기 있는 사람이 될 수 있을까?' 마음 근육이 단단해져서 잘못된 건 잘못됐다고 이야기를 할 수 있는 날이 오길 바란다. 더불어 잘못된 걸 알려주는 어른이 겁먹지 않아도 되는 세상이 되었으면 좋겠다.

주인을 찾은 황금향

외출하고 돌아왔는데 문 앞에 황금향 한 상자가 있었다. 보낸 사람을 확인했는데 모르는 이름이었고 주소가 우리 집이 아니었다. 우리 집은 OO3호인데 그 집은 OO5호였다. 어떻게 할까 고민하다 받는 사람 연락처가 있어서 메시지를 보냈다. 문 앞에 그대로 둔다고 했다. 학교에서 돌아온 아들도 그 택배 상자를 들고 들어왔다. 잘못 온 거니 도로 가져다 놓으라고 했다. 아들이 우리 집 주소인 줄 알았다고 5랑 3이랑 비슷하다고 했다. 연말이라 택배기사님들이 바쁘시고 정신이 없으셔서 이런 실수를 하신 듯했다. 개인정보여서 택배 주인에게 연락하는 것이 고민스러웠지만 과일이라 바로 해결하는 게 나을 것 같았다.

나는 몇 달 전 택배로 곤란한 적이 있었다. 택배 도착 문자를 받았는데 나가보니 택배가 없었다. 배송 전 미리 보낸 문자인가 싶어서 몇 시간을 기다렸는데 택배는 오지 않았다. 기사님께 연락을 드렸더니 배송했다고 하셨다. 아무래도 옆 동에 갖다 놓은 것 같다며 죄송하다고 잘못 배송된 집을 알려주셨다. 그 집 앞에 갔지만 택배는 보이지 않았다. 혹시 착각하셨나 싶은 마음에 다른 동까지도 다 찾아 다녔는데 택배는 그 어디에도 없었다.

나는 관리실로 찾아갔다. 자초지종을 이야기하니 택배차가 들어오는 시간과 기사님의 동선을 확인해 주셨다. 내가 처음으로 찾아갔던 그곳에 택배를 놓고 가셨다고 알려주셨다. 그 집 앞에 분명히 택배가 없었기 때문에 관리실 담당자님께 통화를 부탁드렸다. 집 앞에 택배를 그대로 두었다고 하셨다. 전화를 받고 밖에 놓으셨는지 아까는 없었던 택배가 있었다. 그냥 그 자리에만 두었어도 바로 찾을 수 있었을 텐데 이날 잘못 배송된 택배를 찾는데 2시간을 넘게 보냈다.

또 한 번은 다른 집 택배가 우리 집으로 잘못 배송되었다. 전날 밤에 배송된 것 같았다. 나와 같은 불편함을 누군가가 겪게 될 것 같아 외출하는 길에 그 집 문 앞에 놓았다. 그리고 택배기사님께 연락드려 그 집 앞에 놓고 왔다고 알려드렸다. 택배기사님은 어디로 잘못 배송했는지 기억나지 않아서 못 찾을 뻔했다며 고맙다고 하셨다.

택배가 잘못 왔을 때 가장 좋은 대처법은 오배송 받은 즉시, 늦어도 수령일로부터 14일 이내에 해당 택배회사에 연락해서 오배송 사실을 알리는 거라고 한다. 내 것이 아니면 탐한 적은 없지만, 택배가 오면 무심코 들고 들어오는 습관은 고쳐야겠다.

메시지 도착 알림음이 울렸다. 우리 집 앞에 놓인 '커피 사진'과 '감사합니다.'라는 인사가 적혀 있었다. 나도 감사하다고 답장했다. 오늘 저녁 황금향을 맛있게 드실 OO5호를 생각하니 괜스레 뿌듯했다.

나를 위한 여행

삼십 대의 끝자락에 찾아온 무기력에 하루하루가 힘들던 시간이 있었다. 혼자만의 시간이 절실히 필요했다. 집에서 벗어나 가족과 잠시 떨어져 있고 싶었다. 흔히들 그럴 땐 바다나 산으로 여행을 떠나는데 여행조차도 싫었다. 여기저기 알아보다가 내가 좋아하는 법정 스님을 가까이에서 느낄 수 있는 곳을 찾았다. 서울에 있는 '길상사'였다. 불교가 나의 종교는 아니지만 어린 시절 할머니를 따라 절에 다녔었기에 안식처 같은 느낌이 들었다. 어린 아들은 남편에게 맡기고 3박 4일 템플스테이를 가게 되었다. 두 남자만 두고 가려니 걱정이 태산 같았지만, 결혼 후 10여 년 만에 처음으로 나만의 시간을 가질 수 있어서 설렜다.

지하철을 타고 한성대입구역에 도착해 마을버스로 갈아타고 길상사에 내렸다. 경내에 들어서니 '성모마리아'를 닮은 '관세음보살상'이 있었다. 천주교와 불교가 아름답게 조화를 이룬 모습이 인상 깊었다. 도착해서는 제일 먼저 휴대전화의 전원을 끄게 하고 걸어 갔다. 잠자는 시간을 빼고는 휴대전화와 한 몸처럼 지냈는데 뭔가 허전하면서 기분이 이상했다.

나는 담당자가 나눠 주신 연두색 반소매 티셔츠로 갈아입었다. 절에서의 예의를 알려주셨다. 삼배(세 번 거듭 절함), 차수(두 손을 자연스레 아래위로 교차해 공손하게 포갠 후 단전 부분에 대고 있는 자세), 합장(열 손가락과 좌우 손바닥을 얼굴과 가슴 앞에 모아 부처님 또는 보살을 공경 예배하는 불교 예법), 공양(절에서 음식을 먹는 일) 등의 예법을 배웠다. 각자의 자유시간이 주어졌다. 절을 한번 둘러보라고 하셨다. 그때부터는 한마디도 하면 안 되었다. 사찰을 다닐 때, 식사할 때, 쉴 때도 묵언수행(黙言修行)(아무런 말도 하지 않고 하는 참선)을 해야 했다.

나는 밖으로 나와 아무 말 없이 혼자서 걷기 시작했다. 산책로 곳곳에서 법정 스님의 글귀를 만날 수 있었다. 이유 모를 눈물이 멈추지 않고 계속 흘렀다.

'우리 인생에서 참으로 소중한 것은 어떤 사회적인 지위나 신분, 소유물이 아니다. 우리들 자신이 누구인지 아는 일이다.'

'우리들은 말을 안 해서 후회되는 일보다도 말을 해 버렸기 때문에 후회되는 일이 얼마나 많은가.'

'이 순간을 헛되이 보내지 말라. 이런 순간들이 쌓여 한 생애를 이룬다. 날마다 새롭게 시작하라. 묵은 수렁에서 거듭거듭 털고 일어서라.'

법정 스님이 나의 힘든 마음에 건네주시는 위로로 느껴졌다.

우리 모두 9시면 잠자리에 들고 새벽 일찍 일어났다. 새벽 3시 30분에 기상해서 예불에 참여하는 건 쉽지 않았다. 예불을 마치고 마당은 빗자루로 쓸어 깨끗하게 했다. 매일 이렇게 하루를 시작하는 스님들이 정말 대단하다는 생각이 들었다.

새벽 예불을 드리고 108배를 했다. 108배를 하는 데에 집중하니 머리가 맑아졌다. 그런 다음엔 염주를 만들었다. 108 염주를 꿰며 한 알 한 알 정성을 들였다. 염주를 만들면서 그 과정뿐만 아니라 매듭의 중요함을 알게 되었다. 그 매듭 하나에 공들인 것이 물거품이 될 수 있음을 말이다. 편지를 쓰는 시간도 있었다. 나와 가족에게 쓰는 편지는 한 달 뒤 집으로 부쳐진다고 했다. 시간이 지나 집에 도착한 편지는 손발이 오그라드는 것만 같아서 몰래 감춰버렸다. 소량의 물을 이용해 음식 찌꺼기를 닦아내고 마시는 일은 쉽지 않았는데, 처음 해보는 발우공양(鉢盂供養)(발우라는 그릇을 사용하여 행해지는 스님들의 식사법)은 새로운 경험이었다. 그 외에도 스님과의 차담 시간, 명상의 시간, 법정 스님의 삶을 담은 영상, 새벽 산책은 잊을 수 없는 시간이었다.

마지막 밤, 선물 같은 시간이 주어졌다. 가수 한 분이 미니콘서트를 해주신다고 했다. 아담한 키에 중절모를 쓰고 검은색 테 안경을 쓴 그 분은 어린 왕자 같았다. 하모니카와 통기타를 본 나는 가슴이 두근두근했다. 뭔가 좋은 일이 있을 것만 같은 느낌. "우와~" 그분은 내가 너무 좋아하는 故 김광석의 노래를 불러주셨다. 물개박수가 절로 나왔다. '이런 가수가 우리나라에 있었다고? 왜 몰랐지?' 나의 신청곡을 다 불러 주셨다. 템플스테이에서의 고마운 시간에 덤으로 노래선물도 받게 되었다. 그분은 故 김광석 님과 매우 비슷하면서도 사뭇 다른 느낌이었다. 한 곡 한 곡 불러주시는데 노래에 진심이 느껴졌다. 힘이 들 때면 노래를 들으며 부르며 스트레스를 푸는 나였기에 진정한 힐링의 시간이었다.

그 가수는 바로 박창근 님이었다.

그날의 여운이 남아 템플스테이 후에 그분의 뮤지컬 '바람이 불어오는 곳'을 보러 대학로에 갔다. 故 김광석의 노래로 가득 채워진 무대는 감동 그 자체였다. 몇 해가 지나 코로나로 조용해진 시간 속에 문득 그분이 생각났다. 인터넷 검색을 해 봤는데 활동을 안 하시는지 기사가 없었다. 그런데 며칠 후 텔레비전에 나오셨다. 프로그램이 끝난 후에 인터넷 기사가 엄청나게 쏟아져 나왔다. 실력 있는 가수여서 '잘됐으면 좋겠다.'라며 응원하고 있었는데 모 프로그램 경연에서 1등을 하셨다. 힘든 시간에 위로가 되었던 그분의 노래를 많은 사람이 알게 되니 괜스레 기분이 좋았다. 예심 영상을 공개했는데 심사해야 하는 사람들이 노래에 푹 빠져 그때의 나처럼 계속 신청곡을 이야기했다. 그 마음이 뭔지 알 것 같았다.

길상사로 떠나길 참 잘했다. 오롯이 나만을 생각할 수 있었던 시간. 그 안에서 흘린 눈물 속에 나의 아픔과 슬픔 모두 다 씻겨 내려가는 것만 같았다. 아마도 별일이 없는 한 죽을 때까지 내 편이 되어줄 내 사람들이 보고팠다. 전화 한 통에 엄마, 아빠, 오빠가 나에게 기꺼이 시간을 내주셨다. 정말 오랜만에 우리 네 식구는 밥 한 끼를 함께 먹었다.

간절함이 두려움보다 커지는 날이 오면

오늘도 난 뚜벅이. 면허를 딴지는 오래되었지만, 여전히 운전대를 잡는 일은 나에게 너무나 힘든 일이다. 몇 해 전 운전에 도전했지만 실패하고 말았다. 용기 내어 인천대교를 건너 송현아(송도 현대아울렛)도 다녀왔었기에 성공한 줄 알았는데 그 이후의 사건들로 인해 친해질 뻔한 운전과 나 사이의 거리는 465억 광년 밖으로 멀어진 듯하다.

원래 차 한 대가 있었는데 새로 한 대를 더 구입하게 되었고, 기존에 있던 SUV는 내 차지가 되었다. 내 차가 생기는 것이 기쁘고 설렜다. '드디어 뚜벅이를 벗어나는구나.' 우리 집에 오시는 엄마를 지하철역까지 모셔다드릴 수 있겠다는 자체만으로도 좋았다. 익숙해지면 엄마와 함께 시간 걱정 없는 여행을 떠나야겠다고 마음먹었다. 그런데 운전이란 녀석이 만만치 않았다. 운전대만 잡으면 심장은 쿵쾅쿵쾅 요동을 쳤고 팔과 다리에 힘이 빠지며 식은땀이 났다. 아파트 주차장에서만 차를 뺐다 넣었다 운전 연습을 했다. 차를 운전해 거리로 나가기엔 쉽사리 용기가 나지 않았다.

하루는 주먹 불끈 쥐고 용기 내어 차를 몰고 '롯데마트'로 향했다. 뺑뺑 돌아 4층 주차장까지는 잘 올라갔다. 주차 자리가 없어 5층까지 올라갔다. 한두 자리가 비어 있었지만, 나의 실력으로는 주차를 할 수 없었다. 하는 수 없이 출발점으로 되돌아왔다. '역시 난 안 되나 봐.' 좌절하며 애꿎은 차 문만 세게 쾅 닫았다.

이대로 포기할 순 없었다. 다시 도전.

이번엔 극장이 있는 메가박스 건물이었다. 1월 1일에 있던 일이라 잊고 싶어도 잊히지 않는다. 차분히 잘 가서 주차도 잘하고, 보고 싶었던 성희 언니와 즐겁게 시간을 보냈다. 조심히 돌아가는 일만 남았다. 여유로웠던 주차장에 차들이 많아졌고, 들어오는 차들도 많았다. 마주 보고 있는 주차 칸 사이가 너무 좁게 느껴졌다. 오른쪽에 붙인다고 붙였는데 아니었나 보다. 맞은 편에서 오던 커다란 검은색 카니발과 접촉 사고가 났다. 내 차는 흰색이었는데 왼쪽 모서리가 찌그러지고 스크래치가 났다. 너무 당황스러웠다. 그 차도 왼쪽 모서리에 스크래치가 나버렸다. 심장이 요동쳤다. 우선은 차에서 내려 정중히 사과했다. "너무너무 죄송해요. 제가 초보운전이라 실수했어요. 보험처리 해드릴게요." 그분은 "괜찮습니다. 저도 실수했는데요. 그냥 가서도 됩니다."라고 하셨다. 당황했던 나는 마음이 평온해졌다. 좋은 분을 만나서 가슴 아픈 추억이 될 뻔한 일이 감사한 추억이 된 운이 좋은 날이었다.

또 한 번은 남편이 지하철을 타러 가야 해서 역까지 태워다 주기로 했다. 그런데 평소에 식은 죽 먹기로 하던 유턴인데 그날은 정말 말도 안 되게 유턴을 실수했다. 차 바퀴 앞부분이 연석에 끼어 버렸다. 뒤로 빼려고 해도 빠지지 않아서 나는 남편과 자리를 바꿔 앉았다. 뒤에 오는 차가 없어서 다행이었지 큰일 날 뻔했다. 결국 역까지 남편이 운전하고 나는 역에서 차를 몰고 돌아왔다.

조금씩 조금씩 반경을 넓혀가며 운전하고 있었는데 그날 이후 나는 운전대가 잡기 싫어졌다. 가끔 강의가 들어오면 운전해서 이동했었는데 15분이면 될 거리를 40분이 넘게 걸려 이동해야 했다. 나는 차를 세워만 두면 방전이 될까 봐 가끔 시동을 켜고 아파트 단지만 돌고는 다시 그 자리에 세웠다. 그 차를 보고 있자니 마음이 무거웠다. 보험료와 주차비도 나가고 주차장에서 잠만 자는 내 차는 애물단지가 되었다. 눈앞에 있으니 타야 할 것 같은데 마음과 발걸음이 차 앞에서 늘 멈춰 섰다.

무거운 마음보다는 몸이 좀 고생하는 걸로 정했고, 나의 차와는 '헤어질 결심'을 했다. 차를 떠나보내는데 마음이 홀가분하면서 섭섭했다. 좋은 추억보다는 힘든 추억을 남겨준 나의 첫 차.

나는 운전을 잘하는 사람들이 무척이나 부럽다. 올해의 버킷리스트(죽기 전에 꼭 한 번쯤은 해보고 싶은 것들을 정리한 목록)에 '운전'이 또 한 번 올라간다. 이렇게 간절히 원하는데 도대체 왜 안 되는 건지 '운전 못하는 유전자가 따로 있나.'라는 생각이 든다. '아니면 꿈 때문일까?' 나는 운전면허증을 따고 운전하는 꿈을 꿨다. 설레는 마음으로 운전을 시작했는데 눈앞에 담장이 나타났고 있는 힘껏 브레이크를 밟는다고 밟았다. 그런데 브레이크가 아닌 엑셀을 밟아서 담장에 세게 박았다. 박는 순간 깜짝 놀라 눈이 번쩍 떠졌다. 꿈이 아닌 현실인 것 같았다.

운전면허증을 따고 운전의 기회가 있었지만, 두려움에 운전대를 잡지 못했다. 운전면허증을 따자마자 운전해야 한다는 얘기는 귀에 못이 박히도록 들었는데 그렇게 하지 못한 게 아쉬움으로 남는다. 오늘 밤엔 제주도의 해안도로를 멋지게 운전하면서 바람을 느끼는 꿈을 꾸면 좋겠다. 혹시 운전대를 잡을 용기가 생길지도 모르니까 말이다.

하고 싶었는데 하지 못한 것에 대해서는 늘 미련과 후회가 남는다. 지금은 간절함보다 두려움이 크기에 도전을 못 하고 있지만, 두려움보다 간절함이 커지는 날이 오면 다시 용기 내어보려고 한다.

아자아자 화이팅!

166

당신의
모든날을
응원합니다→

나에게 주는 선물

나는 드디어 올여름에 싸이의 콘서트에 갔다. 매년 가고 싶다고 생각은 했는데 실행에 옮기지 못했다. 늦게 끝나는 시간, 육아, 거리 등 고민거리가 많았다. 친구 옥이와 통화하면서 싸이 콘서트 얘기를 하는데, 옆에 있던 남편이 "가고 싶으면 가면 되지."라고 한다. "올레~" 티켓팅 마지막 날의 일이다. 그런데 아무리 애를 써도 콘서트 예매는 쉽지 않았다. 다행히 다음날 당근마켓을 통해 SR 스탠딩석 티켓을 원가에 구매했다. 우리는 무대와 제일 가까운 곳에 서서 공연을 즐길 수 있게 되었다.

나는 친구와 함께 파랑 티셔츠를 맞춰 입고, 양 갈래머리에 흰색 모자를 눌러쓰고, 40대이지만 조금이라도 어려 보이게 준비를 마쳤다. 코로나 이후 이렇게 많은 사람을 본 건 처음이었다. 무대와 관객이 너무 그리웠다며 싸이가 울먹였다. 뿌려지는 물줄기들. 열광하는 사람들. 역시 흥의 민족이다. 3시간을 넘게 스탠딩석에서 하얗게 불태웠다. '진짜 행복한 사람들의 표정'을 보니, 서로가 서로에게 에너지를 주는 것만 같았다. "제발 게스트로 성시경이 왔으면 좋겠다."라고 생각했는데 우리의 바람은 이루어졌다.

내가 싸이를 처음 본 건 넥스트 콘서트에 갔을 때였다. 2005년쯤으로 기억되는데 게스트로 싸이가 나왔다. 싸이에 관심이 별로 없던 나는 나왔나보다 하고 있었다. 무대는 금세 열기로 가득해졌고 싸이의 옷은 땀으로 흠뻑 젖었다. 앵콜이 터져 나왔고 넥스트의 공연인지 싸이의 공연인지 모를 지경이었다. 그날 이후, 싸이가 달라 보였다. 노래와 춤에 진심과 열정을 보이는 그가 멋있어 보였다. 언젠가 그의 공연을 꼭 보러 가리라 마음먹었는데 2023년이 되어서야 가게 되었다.

2023년의 나와 내 친구, 2005년의 그녀들이 오버랩 되어 그 시절을 떠올려본다.

2005년 9월 어느 일요일, 새벽에 눈이 떠졌다. 나는 자그마한 캐논 카메라를 손에 쥐고 길을 나섰다. 어릴 적 사진으로만 기억하는 곳인 남이섬으로의 여행이다. 청량리역으로 간 나는 가평역 표를 사서 기차에 올랐다. 가평역에 도착해서 택시를 타고 남이섬으로 향했다. 겨울연가 속의 촬영지를 구경하고 한가한 남이섬을 찬찬히 한 바퀴 돌아보았다. 사람이 점점 많아졌고, 여기저기에서 일본어가 들렸다. 그 당시 겨울연가 덕분에 '욘사마'의 인기가 하늘을 찔렀고, 더불어 남이섬은 일본 사람들의 주요 관광지가 되었다. 나는 더 많은 사람이 몰리기 전에 배를 타고 나왔다.

남이섬에서 돌아가는 길엔 버스를 택했다. 나는 버스의 맨 뒷자리에 중년의 일본 여성 2명과 앉게 되었다. 스마트폰이 없던 시절인데 말을 어떻게 알아들었는지 모르겠다. 그녀들은 욘사마의 팬이고 겨울연가 촬영 장소인 남이섬에 놀러 왔다고 했다. 그리고 <외출>이라는 영화개봉에 무대인사 오는 배용준을 만나러 왔다고 했다. 나에게 어디로 가냐고 묻길래 인사동에 간다고 하니 함께 가고 싶다고 했다. 어쩌다 보니 일본 여행객의 관광 가이드가 되었다.

인사동에서는 '막걸리 축제'가 열리고 있었다. 나와 그녀들은 풍물패의 공연을 보고, 택견(우리나라 고유의 전통 무예 가운데 하나)도 보고, 다양한 막걸리도 먹어보고, 꿀타래를 만드는 것도 구경하고, 사진도 찍으며 즐겁게 시간을 보냈다.

그녀들은 나에게 주소를 물어보았고 적어 드렸다. 오사카에 꼭 놀러 오라고 하셨다. 예의상 하는 말인 줄 알았는데, 얼마 후에 우체통엔 그녀들이 보낸 엽서가 있었다. '하야미 OOO, 사카모토 OO' 이름이 적힌 2장의 엽서에는 일본어와 한국어가 적혀 있었다. 일본에 오면 꼭 연락을 달라고 연락처도 있었다. 나는 일본 여행을 가지 않아서 연락하지 않았는데, '답장이라도 보냈으면 좋았을 텐데.'라는 아쉬움이 남는다. 중년이 아닌 소녀들 같던 그녀들은 조그마한 것에도 감사하고 감동했다. 얼굴은 기억나지 않지만 행복한 웃음과 애교 많고 발랄했던 그날의 느낌은 남아있다.

문득 생각나 미니앨범을 펼쳐봤는데 그녀들이 보내준 엽서가 있었다. 20여 년이 훌쩍 지난 지금 '그녀들은 어떻게 지내고 있을까? 아직도 배용준을 좋아하고 있을까?' 궁금증이 밀려온다. 그녀들의 열정이라면 지금도 애정하는 누군가를 만나러 어디든지 떠날 수 있을 것만 같다. 20대에는 이해하지 못했던 그녀들의 시간. 그녀들의 나이쯤에 그녀들의 과거를 떠올려본다.

좋아하는 누군가가 있다는 것,
만나러 갈 열정이 있다는 건
참 멋진 일인 듯하다.
나를 사랑하기에 할 수 있는 나에게 주는 선물이기에.

자전거 도둑~ 사라져라 뿅!

우리나라는 카페 같은데 비싼 휴대전화나 가방 노트북을 놔두고 자리를 비워도 안 훔쳐 가는데 유독 왜 자전거는 잘 훔쳐 가는지 모르겠다. 지난여름, 집 앞에 세워둔 자전거가 감쪽같이 사라졌다. 아들이 깜박하고는 걸쇠를 걸어놓지 않았다고 했다. 관리실에 말씀드려 CCTV 확인을 부탁드렸으나 시간대를 정확히 알 수 없고, 사각지대여서 안 찍혔을 것 같다고 했다. 걸쇠를 걸지 않아서 경찰에 신고하지는 않았다. 그리고 당근마켓이나 맘카페에도 아무런 글을 남기지 않았다.

한 달 정도 지난 어느 날이었다. 네이버 이웃 소식 알림에 잃어버린 우리 자전거가 보였다. 남편에게 주소를 공유하고 확인을 부탁했다. 우리 자전거가 맞는 것 같다고 했다. 심장이 콩닥콩닥 뛰었다. 18만 원에 중고 판매 매물로 우리 자전거가 올라온 것이다. 나는 재빨리 메시지를 보냈다. 자전거를 구매하고 싶은데 직접 보고 살 수 있냐고 했더니 당일 시간이 되냐고 물어왔다. 저녁에 된다고 했더니 주소를 알려줬다. 우리 집과 멀지 않은 곳이었다. 자전거가 있는 곳을 자세히 알려줘서 찾아가 확인하니 100% 우리 자전거가 확실했다. 지구대에 연락해서 도움을 청했더니 확실히 훔쳐 간 증거가 있어야 가능하다고 했다. 집에 와서 증거를 찾기 시작했다. 구매 명세서, 구매 후기, 자전거 사진, 차대번호(고유번호)를 찾았다. 저녁에 남편한테 일이 생겨서 다음 날에 자전거를 찾으러 가기로 했다.

하루가 지났다. 증거가 있으니, 자전거를 빨리 찾고 싶었다. 지구대의 도움을 받으려고 가고 있는데 '7시에 와주실 수 있나요?'라고 판매자의 메시지가 왔다. 나는 발걸음을 멈춰 섰다. 절차가 복잡해지면 찾아오는 데 시간이 오래 걸리고 고생할 것 같아서 내가 찾기로 했다. 나는 판매자에게 메시지를 보냈다. '자전거를 어떻게 구매하게 되셨나요? 가서 매물을 봤습니다. 우리가 한 달 전에 분실한 자전거네요. 구매 내역서, 차대번호, 소유 사진 갖고 있습니다. 비밀번호 알려주시면 시간 될 때 찾으러 가겠습니다.'

판매자는 고민하는지 바로바로 오던 답장이 오질 않았다. 그다음 대처를 위해 자전거가 있는 곳으로 걸어갔다. 도착해서는 거치대에 묶여있는 우리 자전거에 우리의 걸쇠도 걸어버렸다. 그대로 두면 다른 곳으로 우리 자전거를 옮길 수도 있고, 다른 사람에게 판매할 수 있기에 나름의 안전장치를 해 두었다.

자전거의 걸쇠를 걸고서 돌아오는 길에 메시지가 왔다. 죄송하다며 비밀번호를 알려주었다. 걸쇠는 나무에 걸어 달라고 했다. 나는 근처에 있었기에 메시지를 받자마자 그 사람의 걸쇠는 나무에 걸어 두고 자전거를 찾아왔다. 그 사람이 훔쳐 갔다는 증거는 없고 우리 자전거라는 증거만 있었기에 모든 게 조심스러웠다. 다른 자전거도 우리 자전거와 같이 매물로 나왔었는데 우리 자전거와 함께 게시판에서 삭제되었다. '아마도'라는 심증만 품을 뿐이었다.

　그날 이후 되찾은 자전거는 나의 자전거가 되었고 아들은 아빠가 타던 자전거를 물려받았다. 잃어버린 자전거로 인해 잠들어있던 자전거를 깨우고 가족이 함께하게 되었다. 자전거로 하나 된 우리는 종종 자전거를 타고 동네를 돌았다. 가족이 함께하는 시간은 좋았지만, 자전거 도둑에 대한 마음은 쉬이 가라앉지 않았다.

　자전거 절도범은 형법상 절도죄에 해당하여 1명이 훔치면 단순 절도죄로 6년 이하의 징역 혹은 1천만 원 이하의 벌금에 처하며 2명 이상이 훔치면 특수 절도죄에 해당하여 1년 이상 10년 이하의 징역에 처해진다고 한다. 미성년자여도 10살 이상이면 소년법에 의거해 최대 2년 동안 소년원 보호 처분을 받게 된다고 한다. 법에는 이렇게 명시되어 있지만 자전거 도둑을 잡는 일이 쉽지 않고 잡더라도 솜방망이 처벌을 하기에 줄어들지 않는 것 같다는 생각이 든다.

잃어버린 자전거를 찾는 글이 많이 올라온다. 도난을 당하고 중고 거래로 팔려갈 뻔한 일을 겪어 보니 자전거 분실 예방의 필요성을 느꼈다. 자전거를 세워 놓을 때면 잊지 않고 걸쇠를 잠가 놓기로 했다. 그리고 혹시나 모를 분실을 대비해 주인 임을 바로 증명할 수 있도록 차대번호 사진을 찍어 저장해 두었다.

자전거 중고 거래의 경우 차대번호와 구매 내역을 증빙할 수 있는 절차가 생겼으면 한다. 그렇게 되면 도난 자전거의 거래를 방지할 수 있고 자전거 도둑도 줄어들 것 같다.

자전거 도둑~ 사라져라 뿅!

나 = 배우는 중

내가 살고 싶은 가슴 뛰는 삶. 지금은 잠시 숨 고르기를 하며 준비 중이지만 내년이면 중학생이 되는 아들이 엄마를 응원해 줄 수 있을 것 같다. 대학에 입학할 때 나에겐 세 곳의 선택지가 있었다. 아빠는 유치원 선생님은 힘들다며 '유아교육과'만 빼고 괜찮다고 하셨다. 하지만 선생님이 꿈이었던 나는 아이들을 사랑하고 가르치는 것이 좋아서 유아교육과를 택했다.

나는 대학 졸업 후에 바로 취업하지 않고 배움의 시간을 가졌다. 종이접기, 풍선아트, 유리드믹스, 하이파이셈(손가락 셈법), 학부모 카운슬러(학부모 상담), 유아미술, 유아과학, 동화구연, 유아체육 등 교육에 필요하다고 생각하는 부분을 하나씩 채워갔다. 유아교육에 관련된 다양한 공부를 하면서 유아교육의 매력에 더욱 빠져들었고 배움으로 알아가는 게 행복했다. 배우면서 여러 곳에서 아르바이트를 했는데, 역시 아이들이 나와 잘 맞았다.

나는 구립어린이집에 취업했다. 그동안 준비하며 배운 것만으로도 가르칠 것들이 많았는데 자꾸 '국악'에 눈길이 갔다. 목마름에 찾아간 교육기관에서 아동국악의 매력에 흠뻑 빠져 아동국악강사 자격증을 따게 되었다. 그리고 그곳에서 스카우트 제의를 받았고, 아이들 졸업 이후에 가기로 했다. 남은 시간 동안은 배움으로 얻은 것들을 아이들에게 아낌없이 모두 주었다. 아이들은 발표회 무대에서 반짝반짝 빛을 발했다. 사물놀이, 부채춤, 태권무, 수화노래, 멜로디언 연주, 모자춤, 영어 뮤지컬 등 멋진 무대를 선보였다. 친정엄마는 그 어떤 무대보다 내 제자들 발표회 무대가 지금까지도 '최고의 무대'라고 하신다. 가슴 뛰는 일을 했던 첫 직장. 졸업식이 제대로 진행되지 못했다. 나는 물론 어머님들과 아이들의 눈물도 멈추질 않았다. 어머님들은 다시는 일부러 만날 일 없는 나에게 마음 담아 선물을 주셨다. 이날 꽃다발 20개를 받은 나는 방송연예대상에 나오는 연예인이 부럽지 않았다.

생각보다 아동국악강사의 길은 쉽지 않았다. "유치원 선생님은 우리 유치원에도 많아요. 전공자 보내주세요."라는 이야기에는 기운이 쫙 빠졌다. 대표님은 "수업을 해보시고 마음에 안 들면 바꿔 드리겠습니다."라고 말씀하시며 기회를 내게 주셨다. 오기가 발동했다. 나만의 노하우로 아이들을 집중시키고, 수업자료를 만들고, 궁채와 열채 손을 바꿔 밤낮으로 연습했다. (아이들 수업에서는 장구를 거울을 보듯이 반대로 해주어야 쉽게 받아들인다.) 기본은 알고 가르치고 싶었기에 사물놀이, 모둠북, 탈춤, 한국무용 등을 배웠다. 나의 노력이 통했는지 한 번 들어간 교육기관에서 결혼으로 그만둘 때까지 5~6년 정도를 가르치게 되었다.

나는 결혼 후에 아이를 낳아서 기르고 있었다. 하지만 배움에 대한 열망과 호기심은 여전했다. 두드림을 좋아하던 나는 '난타 지도사 자격증'과 '모둠북 지도사 자격증'을 땄다. 심장 소리와 같은 북소리는 나의 가슴을 다시 뛰게 했고, 난타 감독님의 추천으로 주부 난타팀에 들어가 활동하게 되었다. 난타 활동은 잠들었던 나의 열정을 깨웠다. '열심'이 특기인 나는 혹독한 연습과 노력 끝에 많은 무대에 서고 대회에 나가 상도 받게 되었다.

'배움'과 '가슴 뛰는 삶'은 수어지교(水魚之交)를 떠오르게 한다. 물고기와 물의 관계처럼 깊은 친밀함 말이다. '나 = 배우는 중' 지금은 고전무용을 배우고 있다. 그리고 '에세이로 시작하는 글쓰기 수업'을 통해 글쓰기에 도전하고 있다. 배움은 나를 설레게 한다. 배움 전에 알지 못했던 것들을 새로 알게 되며 한 뼘씩 자라는 느낌이다.

"엄마는 계속 자라나 봐. 내가 계속 키가 크는 것 같은데 왜 차이가 줄지 않는 거지?"

"엄마가 학생이라 계속 크나 봐."

(엄마가 몰래 까치발 드는 건 비밀.)

이 배움으로 나는 또 어떤 가슴 뛰는 삶을 살게 될까?

공든 탑은 무너지지 않았다

'공든 탑이 무너지랴.'라는 속담이 있다. 공들여 쌓은 탑은 무너질 리 없다는 뜻으로, 힘을 다하고 정성을 다하여 한 일은 그 결과가 반드시 헛되지 아니함을 비유적으로 이르는 말이다. 우리 조상들은 어쩌면 이리도 현명했을까? 이 속담이 꼭 들어맞는 상황이 내게도 있었다.

내가 활동하는 난타팀이 대회에 참가하기로 했다. 2017년 9월 16일 토요일에 청주대학교에서 열리는 '제1회 전국 생활 음악 경연대회'였다. 우리 팀은 평균 나이 45세로 적지 않은 나이의 아줌마들이었고 참가 인원은 4명으로 가장 적어서 압도적인 퍼포먼스를 연출하기에는 왠지 모를 아쉬움이 있다. 대회 수상은 참가 인원이 많아야 유리하다고 들었다. 하지만 희망의 끈을 놓지 않았다. 인천과 용인에 사는 우리는 일주일에 서너 차례씩 서울 연습실에 모여 3시간씩 연습했고 후회 없이 즐기기로 했다.

그런데 행사가 시작하기도 전에 기운 빠지는 일이 생겼다. 청주대학교에 도착해 주차하려는데 뭔가 '쿵!' 하는 소리와 함께 몸이 흔들렸다. 가만히 서 있는 다른 차를 들이박은 모양이다. 그렇지 않아도 떨리는데 접촉 사고까지 일어나니 심장이 요동치듯 뛰었다. 부랴부랴 연락해서 차주를 확인하니, 대회의 심사위원이다. 명찰을 목에 걸고 있었는데 'OO대학교 교수 심사위원 OOO'라고 적혀 있었다. 경연을 시작하기도 전에 심사위원의 차와 접촉 사고를 냈으니, 경연은 해보나 마나 미운털이 단단히 박혔을 것 같다. 하지만 포기할 수는 없다. 그동안 흘린 땀과 눈물을 접촉 사고 한 번에 날려버리는 건 자존심이 허락하지 않았다. 떨리는 가슴을 부여잡고 청심환도 한 알씩 먹어가며 무대 위에 올랐다.

9개 팀의 참가로 경연 무대는 진행이 되었다. 공연 무대와는 다른 경연 무대가 주는 긴장감이 엄청났다. 심사위원과의 거리는 2미터 남짓으로 손끝의 떨림도 보일 정도였다. 우리는 무대에 올라가 간격 맞춰 북을 세팅하고 각자의 자리에 섰다. 객석에 있는 다른 참가자들의 몸이 일제히 우리 쪽을 향해 기울었다. 신생팀인데다가 참가 인원 4명인 우리는 관객들의 호기심을 불러일으키기에 충분했다. 관객들의 초집중하는 눈빛에 손에는 땀이 났다.

우리 작품은 테크노풍의 하우스 음악에 맞춘 돌림노래 형식의 안무와 리듬으로 구성되었다. 다이나믹하고 화려한 스트로크를 볼 수 있는 작품으로 작품명은 '비트 홀릭 & 1악보'였다.

공연이 시작되었다. 이 작품의 전반부는 같은 안무와 리듬을 돌림노래처럼 한 명씩 시간 차를 두고 시작해서 '같지만 다른 모습'을 '한 무대'에서 볼 수 있어서 흥미롭다. 후반부는 음악 없이 순수 타악으로 몰아가는데 음악이 끊기자 숨소리조차 들리지 않는 정적이 흘렀다. 오롯이 북소리로만 전하는 감동은 전반부와는 다르게 강약과 빠르기의 변화로 다채로운 느낌을 준다. 작품의 막바지에 모든 에너지를 쏟아냈다. 두 팔 벌려 위로 북채를 모으며 무대는 끝이 났다. 박수갈채가 터져 나왔고 휘파람 소리가 요란했다. 발끝부터 머리까지 모든 에너지가 하늘을 향해 솟아오르는 것 같았다. 우리는 거친 숨을 몰아쉬며 서로의 눈을 바라보았다.

모두가 생애 첫 대회 출전이라 경험자가 없었다. 이 대회를 위해 다른 축제에 몇 번이나 참여해서 무대에 오르기도 했다. 우리는 영상을 찍고 또 찍고, 보고 또 보고 분석했다. 맞지 않는 부분은 호흡을 맞춰가며 다시 또다시 반복했다. 4명의 적은 인원으로 다른 사람 뒤에 숨을 수도 없었고, 개인의 실력을 숨길 수도 없었다. 모두 각자의 무게를 견디며 노력에 노력을 더했다.

먼 길 오가면서 많은 땀을 흘렸고 그 노력이 한순간의 실수로 물거품이 되지 않을까 걱정을 많이 했었다. 하지만 우리가 사고를 냈던 심사위원을 포함한 심사위원단이 공정하게 평가를 해준 덕분에 우리는 대회의 최고상인 최우수상을 받았다. 우리의 꿈을 이룰 수 있었고, 공든 탑은 무너지지 않았다.

내 속의 또 다른 나를 찾아

'두근 두근 두근' '후~'

개그맨 갈갈이 박준형의 소개로 우리는 무대에 올랐다. "아름다운 자태와 화려한 춤선으로 빠져보도록 하시겠습니다. 고전무용 팀입니다. 여러분 큰 박수로 함께해 주십시오." 빨간색 저고리에 초록 치마, 머리에는 쪽을 지고, 빨간 비녀를 꽂고, 가운데 가르마엔 금색 봉황 첩지를 한 7명의 단원은 부채를 접어 들고 자진걸음으로 입장한다. 음악이 흘러나온다. '덩 기덕 쿵 더러러러 쿵 기덕 쿵 더러러러' '하나아 두울 세엣 네엣' 마음속으로 굿거리장단의 박자를 헤아리며 호흡한다. 손짓 하나 걸음 하나에도 온 마음을 담아낸다.

무대(舞臺)에서의 나는 또 다른 내가 된다. 장르에 따라 카멜레온처럼 다양한 모습으로 변한다. 10대에 대동제 사회를 보던 나, 20대에 사물놀이 공연을 하던 나, 30대에 난타 공연을 하던 나, 40대에 고전무용을 하는 나에겐 공통점이 있다. 모두 무대에 오르는 순간까지 최선을 다한다는 것이다. 무대를 위해 흘리는 땀과 노력의 시간은 오롯이 나만이 알 수 있다. 나에게 있어 무대는 보는 이들에게 감동과 즐거움을 줄 수 있어야 하는 곳이다. 그렇게 하려면 우선 내가 즐길 수 있어야 한다. 내가 즐기려면 자는데 깨워서 시켜도 눈감고 할 수 있을 만큼 내 것이 되어야 한다.

무언가를 배우고 잘하고 싶어질 땐 무대를 선택한다. 그 이유는 연습실에서 1년의 연습 시간과 무대를 앞둔 2개월의 시간이 맞먹기 때문이다. 공연이 잡히면 더디기만 했던 뇌 회로가 급속도로 활성화된다. 1년 전 주민자치센터에서 취미로 시작한 고전무용이었다. 자치센터에서 발표회를 하게 되었고, 2개월 만에 '홍춤'이라는 새로운 작품을 익혀서 무대에 올라갔다. '될까? 될까?'라고 의문을 가지며 시작했는데, 가사도 없는 음악에 맞춰 6분이 넘는 작품을 외우고 무대에서 보여줄 수 있었다. 모든 작품은 무대에 올라 봐야 비로소 내 것이 되는 것 같다. 평소 그리 완벽주의자가 아님에도 불구하고 무대를 앞둔 나는 '매의 눈'을 가진 다른 사람이 되곤 한다.

난타할 때 서원호 감독님이 물으셨다.
"무대에서는 무슨 생각을 하며 공연하십니까?"
"관객이 보는 나의 모습을 생각하며 공연합니다."

어떤 공연에서는 나의 팬이라며 팀장님에게 보내준 나의 사진을 전달받았고, 숲 공연에서는 나에게서 눈을 떼지 못하는 꼬마 관객과 눈맞춤을 하며 공연했다. 오랜 시간이 지났지만, 그 여운은 아직도 남아있다. "여진 씨는 여진 씨가 얼마나 빛나는 사람인지 모릅니다." 먼 거리와 육아 때문에 좋은 기회가 와도 놓칠 수밖에 없었던 나에게 난타 감독님이 해주신 말씀이다. '빛나는 사람'이라는 말이 마음에 깊이 남아 난타를 잊지 못하는 것은 아닐는지. 내가 난타를 처음 만난 날의 전율은 말로 다 표현할 수 없다. 가슴 벅찬 뜨거운 감동에 2시간이나 걸리는 먼 거리를 고민 없이 가겠다고 결정할 수 있었다. 행복했던 그때 그 순간을 다시 만나고 싶다. 나의 안부를 묻는 난타 감독님께 고전무용을 하고 있다고 지인이 나의 소식을 전했다. 감독님이 "뭐라도 하고 있어서 다행입니다."라고 하셨다는 얘기에 한참을 웃었다.

마흔 중반의 나는 아직 꿈을 찾고 있다.

하고 싶은 것, 할 수 있는 것, 해야 하는 것들 사이에서 방황하며 이리저리 기웃거리고 있다. 쉽사리 정리되지 않고 선뜻 용기가 나지 않아 발걸음을 내딛지 못하고 있음에 호흡을 가다듬는다. 하지만 조금 먼 미래의 꿈은 미리 그려 놓았다. 좋아하는 여행을 하며 버스킹(길거리에서 공연하는 것)하는 나. 우리 문화를 세상에 시나브로('모르는 사이에 조금씩 조금씩'을 뜻하는 순우리말) 스며들게 하고 싶은 소소한 꿈을 꾸고 있다.

인천시 동아리 경연대회 최우수상

인천시 동아리 경연대회가 2023년 11월 18일 남동구청에서 열렸다. 인천시 각 구에서 1등 한 팀들이 모여 경연을 펼치는 대회였다. 3위 안에 들면 내년 전국대회에 참가할 수 있는 자격이 주어진다고 했다. 우리 팀은 '홀로 아리랑'에 맞춘 무용을 선보였다. 원문실 선생님께서 자나 깨나 고심하며 만드신 작품이다.

우리는 주 3회 모여 연습했다. 대회를 준비하는 기간에 다른 공연도 많았기에 쉽지 않은 시간이었다. 열정을 다해서 열심히 연습하면서 점점 더 합이 맞아가고, 완성도가 높아졌다. 우리 팀 모두가 중구를 대표해서 나가는 무대이기에 온 마음을 다했다. 작품부터 소품까지 하나하나에 마음을 담았다. 팀원인 금손 예술가 주미님이 하얀 부채 앞뒤로 태극무늬를 그려 우리 만의 부채가 탄생했다. 의상과 어울리는 연핑크와 연하늘 꽃 모양의 머리꽂이도 단체로 구매했다.

우리 팀은 오늘 무대를 위해 메이크업 전문가에게 무대화장을 받았다. 화장이 엄청나게 진하고, 속눈썹도 풍성하고, 내가 아닌 다른 사람인 것 같았다. 화장뿐만 아니라 의상과 소품, 액세서리까지 같은 걸로 맞추니 전문 무용팀이 된 느낌이 들었다. 시 대회인 만큼 팀마다 뽑어내는 에너지가 대단했다. 드디어 경연 마지막 순서인 우리의 무대가 시작되었다. 신나는 난타 공연의 열기로 가득했던 전 무대와는 상반되는 우리의 무대였다. 연하늘 빛의 치마를 입고, 연두색에 금박이 박힌 가슴 말기를 했다. 그리고 연두와 핑크 고름이 달린 자수 놓인 하얀색 시스루 저고리를 입었다. 가슴 말기에는 파랑과 핑크가 그라데이션 된 긴 천을 끼워 길게 늘어뜨렸다. 우리는 아름다운 한복을 입고 무대에 섰다.

음악이 시작됨과 동시에 수진 님이 양손에 큰 무궁화를 들고 입장했다. 잔잔한 홀로 아리랑 간주에 어울리는 아름다운 독무에 관객들의 시선은 모두 수진 님을 향했다. 간주가 끝나고 노래가 시작되었다. 양옆에 서 있던 여덟 명의 단원은 태극부채를 들고 한 걸음 한 걸음 내디뎠다. 여기저기에서 탄성이 터져 나왔다. 함께 경쟁하는 경연자들인데 한마음이 되어 우리를 응원해 주고 있었다. 연습하면서도 늘 울컥했던 노래인데 객석에서 따라 불러주시니 그 감동은 배로 더해졌다.

부채로 선보인 무대에 이어 긴 천으로 분위기를 전환했다. 옷의 일부인 줄 알았던 천을 들고 춤을 추기 시작하니 사람들의

"와!"하는 탄성 소리가 들렸다. 금세 무대를 화려하게 탈바꿈시켰다. 함께 반원을 만들기도 하고, 큰 원을 만들어 돌면서 개인이 돌기도 했다. 긴 천과 어우러져 풍성한 하늘빛 갈래 치마가 퍼지면서 도는 모습은 '꽃들의 향연' 같았다. 마지막 하이라이트 '손잡고 가보자. 같이 가보자.'에서는 다 같이 일렬로 손을 잡고 높이 들어 올렸다가 살포시 앉아 인사를 했다. 함성과 박수 소리가 끊이지 않았다. 마지막을 장식한 감동의 여운은 오래오래 남았다.

수상팀 발표 시간이 돌아왔다. 장려상, 우수상, 최우수상, 대상을 호명했다. 늦게 불릴수록 높은 상이라 장려상 호명에 불리지 않음에 다행이라 생각했다. 우수상 발표에 서로 손을 부여잡고는 긴장하고 있었다. 우리가 호명되지 않았다. 우리는 '최우수상'을 받게 되었다. '우리가 흘린 땀방울이 방울방울 빛이 되어 빛나는 무대가 되길 바랍니다.'라는 글을 단체방에 남겼었는데 오늘의 무대가 그랬다.

40대부터 80대가 하나 되어 멋진 공연을 펼쳤다는 자체만으로도 오늘의 무대는 의미가 있었다. 관객들의 응원에 감사했는데 수상의 영광까지 누리게 되어 기쁨과 행복이 가득한 하루였다. 다리가 아파서 앉으실 수 없음에도 곳곳에 파스를 붙여가며 열정을 다해주신 선배님. 선배님을 배려해 동선을 변경해 가며 멋지게 작품을 만들고 열심히 지도해주신 선생님. 각자의 자리에서 최선을 다해 열심히 해주신 단원분들. 모두의 열정과 노력의 결과였다.

고운 춤선 원문실 선생님, 솔선수범 보경 님, 미소 천사 명자 님, 따뜻한 사랑 윤분 님, 우아한 월희 님, 다정다감 정임 님, 금손 예술가 주미 님, 다재다능 미연 님, 멋진 열정 수진 님 감사합니다.

오늘의 좋은 결과가 있기까지 옆에서 함께 배우며 응원해 주신 분들이 계셨기에 더욱 힘이 났다. 쾌활한 옥자 님, 곱디고운 영희 님, 진정성 있는 영순 님, 배움에 진심인 향숙 님, 믿음직한 미경 님, 행복 비타민 은희 님 모두 감사합니다.

행사장에서 함께해 주신 분들 또한 우리에게 큰 힘이 되었다. 듬직한 원 매니저님, 긍정 에너지 분기 님, 따스한 현숙 님 감사합니다.

누가 뭐라고 해도 '한여울 무용단'의 오늘 무대는 감히 '최고!'라고 말하고 싶습니다.

징검다리

6년 만이다. 베란다에 있던 상모를 꺼냈다. 2017년 생일에 남편한테 선물로 상모를 사달라고 했다. 그러고는 5일의 휴가를 받아 사물놀이 캠프(5일 동안 아침부터 밤까지 사물악기 연주와 상모 연습을 하는 캠프)에 참여했다. '상모돌리기' 재도전에 성공해 보겠다는 나의 다짐은 캠프가 끝난 후 갈 곳을 찾지 못해 고이 접어 넣어 두었다. 그 후로 한 번도 꺼내 본 적 없던 상모가 오늘따라 눈에 들어왔다. 흑포, 꽃천, 벙거지, 진자, 물채, 백선을 가방에서 꺼냈다. 오랜만이라 기억이 가물가물했다. 기다란 꽃 천을 집어 들고는 열심히 이마 위에 꽃을 만들었다. 아뿔싸! 흑포를 먼저 써야 하는데 순서가 바뀌었다. 아깝지만 꽃을 풀고는 머리에 흑포를 썼다. 그 위에 하얀 꽃 천으로 예쁜 꽃을 만들었다. 진자의 나사를 풀어 엽전과 분리했다. 벙거지 가운데 구멍에 엽전을 맞추고 진자를 끼워 나사를 조였다. 물채를 진자에 합체 시킨 후 기다랗고 얇은 생피지를 풀었다. 머리에 상모를 쓰고 백선으로 고정했다. 준비 끝. 오금질을 하여 상모를 돌려본다. 돌! 아! 간! 다!
상모가 돌아간다. 아주 예쁘게는 아니지만 제법 돌아간다.

상모를 처음 가르쳐 주셨던 송귀철 선생님의 블로그를 찾아보
았다. 블로그에 이런 내용이 있었다. - 상모는 척추를 똑바로 편
상태에서 오금에 의해 움직이는 원리를 지닌다. 고개의 움직임은
최소화하고 하체의 힘으로 움직여야 한다. 흔히 상모를 '돌린다'
고 생각하기 쉽지만, 그렇지 않다. 상모는 '원운동'이 아니라 오
금질에 의한 '상하운동'이 원운동으로 전환된 것이다. 상모로 인
하여 사물놀이는 청각적 예술에서 시각적 예술성을 더한 공감각
적 예술로 승화된다. 상모는 전 세계에 유일무이한 우리나라만의
놀이이다. -

쉬울 리가 만무하다. 20대에 아동 국악을 하며 사물놀이와 상
모를 배웠다. 장구를 배우는 것은 쉽지 않았다. 장구의 열채 소리
덕(따)과 궁채 소리 쿵(궁)을 내기 위해 거울 앞에 앉아 몇 시간
이고 연습했다. 호흡과 함께 소리를 내야 하는데 열채는 붙여야
하고, 궁채는 떨어져야 하고, 느리면 느린 대로 빠르면 빠른 대
로 어려움이 따랐다. 그동안 흉내내며 쳤던 장구와는 차원이 달랐
다. 장구를 칠 줄 안다고 이야기했던 내가 부끄러워졌다. 악기연
주만으로도 이렇게 힘이 드는데 상모를 돌리며 연주하시는 선생
님을 보니 대단하게 느껴졌다. 훌륭한 선생님을 만나서 상모 캠프
에 가고 연습도 열심히 했지만, 상모는 실패하고 말았다. 맞지 않

는 옷을 입은 듯 불편했고 버겁게 느껴졌다. 그렇지만 포기를 한 것은 아니었다. 언젠가는 다시 도전해 보리라 마음을 먹었다.

얼마 전 인사동에 나가 있던 친구가 동영상을 보내줬다. 길놀이를 하는 풍물패의 소리에 가슴이 뛰었다. 고등학교 때 처음 접했던 우리의 전통문화. 내 나이 17살. 흥사단 고등학교 아카데미 행사에서 수백 명과 대동제를 했다. 행사 당일에 나는 마이크를 잡고 목청 높여 강강술래, 남생이놀이, 고사리 끊기, 대문 놀이, 문 쥐새끼 놀이 등의 노래를 부르며 대동제 사회를 봤다.

떠올려보니 나의 결혼식은 길놀이로 시작했다. 축하 연주는 사물놀이. 축가는 국악가요 '가시버시 사랑'이었다. 하얀 웨딩드레스를 입었지만, 전통 혼례의 잔치 분위기였다. 육아하는 중에 기회가 돼서 다문화 가족들과 함께하는 국악 특강, 교사 연수 특강, 학교 특강을 나갔다. 시간이 허락될 때면 내가 먼저 손을 내밀고 문을 두드려 유치원, 어린이집, 영종도서관, 장애인 친구들, 전래놀이 봉사단에 재능기부로 국악 수업을 하기도 했다. 모든 것이 우리 것과 관련된 것이다. 다른 일을 알아봐도 결국엔 우리 것에 돌아와 있다. 나의 삶 깊숙이 우리 것이 자리매김하고 있음을 새삼 느낀다.

'어쩌면 우리나라 전통문화 지킴이'가 나의 숙명이 아닐까?

출산 후 아이를 키우는 내게 예전에 다녔던 곳에서 다시 와달라는 연락이 왔다. 초등학생 방과 후 국악 수업을 해달라는 부탁이었다. 내가 꼭 와줬으면 좋겠다고 했다. 그 당시 아들이 젖병을 물지 않았기 때문에 고민스러웠다. 그래서 생각해 낸 방법은 세명(친정엄마와 아기와 나)의 동행이었다. 친정엄마의 도움으로 쉬는 시간에 빈 교실에서 모유 수유를 해가며 수업을 진행했다.

그 수업에서 함께했던 기억에 남는 남학생이 있다. 그 학생은 스트레스로 자기 머리카락을 뽑아 머리에 동전 크기의 살색이 드러나 있었다. 학기가 지나고 발표회 날, 그 학생은 맨 앞자리에서 그 누구보다 씩씩하고 밝은 모습으로 무대를 즐겼다. 그 학생의 아버지께서는 더 이상 스포츠머리를 하지 않아도 된다고 선생님 덕분이라며 나에게 감사 인사를 하셨다. 사물놀이를 통한 두드림과 여럿이 함께하는 강강술래, 전래놀이 속에서 아픈 마음이 자신도 모르게 치유되어 가고 있던 것은 아닐까? 밝아진 아이의 모습을 보며 뿌듯한 마음이 들었다. 난 국악의 힘을 믿는다.

삶의 커다란 변화가 찾아오는 것이기 때문에 직업을 바꾸는 일은 쉽지 않았다. 그 당시 2년 더 근무 후에 어린이집 원장을 할 수 있는 자격이 주어지기에 나의 마음은 하루에 수십 번도 더 왔다 갔다 했다. 고민 끝에 큰마음 먹고 어린이집 교사에서 아동국악강사로 직업을 바꾸었던 그때를 떠올려본다. 우리 것이 잊히지 않기를 바라며, 우리 것의 소중함을 전하고자 했던 그 첫 마음을.

나는 강사님들과 함께 수백 명이 되는 단체 행사에서 전래놀이, 강강술래와 민속놀이를 여러 번 진행했고, '우리 문화 체험 교실'을 통해 서울 북부의 각 학교의 초등학생 5, 6학년 전체를 만난 적도 많았다. 또한 여러 교육기관에서 국악 수업을 진행했다. 그동안 국악 수업과 행사를 통해 만난 아이들, 선생님들, 학부모님들이 몇 명 인지 헤아려 보지는 않았다. 아마도 수천 명 아니 수만 명은 될 것 같다. 그들의 기억 속에 내가 존재하지는 않겠지만, 국악과 전통문화에 대한 즐거운 마음은 기억하고 있기를 소망해 본다.

전공자는 아니어도 강사로서 우리 것을 사람들에게 쉽고 재밌게 전하고, 공연자로서는 공연을 통해 아름다움과 즐거움을 전하는 징검다리가 될 수 있지 않을까 생각해 본다. 보는 즐거움과 하는 즐거움 둘 다를 전하고 싶다. 국악은 어렵고 지루한 것이 아니라 누구나 접할 수 있는 즐거움이란 것을 세상에 알려주고 싶다. 과거와 현재와 미래를 잇는 소중한 전통문화. 우리 것의 소중함을 알고, 우리나라 전통문화의 맥을 잇기 위해 노력하고 애쓰시는 국악인들과 강사님들, 그리고 전통문화 예술인들께 감사함을 전한다. 우리나라 국민이라면 우리 것을 하나라도 좋아했으면 좋겠다. 사람들의 관심과 사랑 속에서 우리의 전통문화가 자리매김을 할 수 있기를, 우리 것이 많은 사랑을 받는 날이 오기를 바라며, 탄탄한 징검다리가 되기 위해 오늘도 나의 열정에 노력을 더하고 있다.

나의 인생 이야기
('여 진'의 엄마 글)

또 한 해가 저물어 가는 12월 중순. 밖에는 추위를 재촉하는 겨울비가 온종일 멈출 줄 모르고 내린다. 시간 가는 줄 모르고 눈을 감고 옛날 먼 옛날 나의 젊은 시절을 떠올리기도 하고 잠을 청해 보지만 잠도 오지 않는다.

이십 대 5월 맞선을 보고, 6월 2일 약혼을 하고, 6월 13일 결혼했다. 생각하면 웃음이 절로 나고 어찌 이렇게 결혼을 빨리했는지 놀라울 따름이다. 우리 가족 생각, 나와 연을 맺은 보고 싶은 사람들을 떠올려보니 아련한 추억과 그리움 속으로 빠져든다.

반가운 전화벨 소리가 울린다. "엄마!" 우리 딸의 반가운 목소리다. 딸의 안부 전화가 왜 이리 반가운지 "엄마, 오늘 별일 없어? 몸은 괜찮아?" 늘 통화는 하지만 내게는 오늘따라 눈물 나도록 고맙기만 하다. 내가 어렵고 힘들 때마다 언제나 내 곁에서 버팀목이 되어주던 우리 딸. 엄마와 딸이지만 딸과는 친한 친구 사이다. 어릴 적부터 딸 때문에 걱정해 본 일도 없고, 조금도 엄마를 힘들게 한 적도 없다. 엄마를 이해해주고 잘 챙겨주는 착하고 예쁜 딸. 늘 미안하고 고마울 뿐이다.

옛날에 가게 할 때 고등학생이면서도 엄마 아빠 여행 다녀오라며 가게 봐주던 일이 생각난다. 가게를 오래 해서 단골손님도 많았고, 항상 시간 가는 줄도 모르게 바빠야만 했다. 교복을 입은 채 앞치마를 두르고 도와주는 고마운 딸이었다. 사랑하는 가족을 위해 열심히 일하고 앞만 보고 뛰었다. 나 자신을 뒤돌아보니 내가 생각해도 정말 대단하다고 느낄 정도로 후회 없는 멋진 삶을 살았다고 쓴웃음을 지어본다.

모두가 다 옛날의 지난 이야기지만 '젊어서 고생은 사서도 한다.'라는 옛말이 있듯이 고생한 젊은 시절에 만족하고 미련도 후회도 없다. 한가지 아쉬움이 있다면 우리 아들과 딸에게 더 많은 사랑을 주지 못한 것이다. 남은 세월은 자식들에게 많은 정을 주고 더 잘해주려고 한다.

남편이 떠난 지 몇 년이란 세월이 흘렀는데 지금도 고모님(시누이)들이 불러주고 소식 전하고 친구처럼 지내니까 고맙고 감사하다. 남편이 주고 간 선물인가 싶다.

나는 가끔 남편이 생각난다. "여보여보, 사랑해!"라는 말을 하루도 빠짐없이 해주었다. 지금 생각하면 '그런 말을 매일 하는 게 쉬운 일이 아닌데.' 싶은 마음에 더욱 그립고 존경스럽게 느껴진다. 사람의 내일은 아무도 모르고 살아간다고 생각한다.

'행복이란 마음에 있는 것!'

근심 걱정이 많으면 행복할 수가 없다. 이젠 무거운 짐 다 내려놓고 편하게 살려고 한다. 오늘따라 마음이 서글프고 눈물은 왜 이렇게 흐르는지 모르겠다. '추억의 먼 여행길이 너무 힘들었나? 너무 즐거워서 그럴까?' 나의 일생을 행복한 삶이라고 말하고 싶다.

더하기

우리 아들, 딸 고맙고 사랑해요.
둘도 없는 우리 사위, 며느리, 손주들 고맙고 사랑해요.
우리 가족 모두 건강하고 행복했으면 하는 바람입니다.
오늘의 행복한 마음이 있기까지 긴 세월을 함께 해주신 나의 형제들, 고모님들, 친척들, 친구들, 지인들 감사드리고 고맙습니다.

남은 인생 우리 모두 다 행복하게 살자구요.

* 냉장고에 붙어있는 울 엄마의 예쁜 손글씨 *

사랑하는 사랑아!
얼마나 진실되게 남은 생은 살아야
훗날 나무로 날수 있을까?
얼마나 고운 생각만 하고 살아야
훗날 꽃으로 날수 있을까?
얼마나 공을 들여야
훗날 당신을 다시 만날수 있을까?
사랑하는 사랑아!
나무처럼 든든한 사랑아.
꽃처럼 아름다운 사랑아!
훗날 다시 만나고 싶은
사랑아!

마치며

이 책의 주인공들이 생각하는 '나'가 궁금해졌다. '여 진'에 관한 단어 수집을 해보았다.

〈흥, 춤, 북, 힘, 풍물, 난타, 사랑, 열정, 도전, 긍정, 기쁨, 밝음, 착함, 싹싹, 명랑, 곱창, 쾌활함, 친화력, 따스함, 체육인, 여진족, 오렌지(상큼한 과일), 솔선수범, 어여쁜 미소, 고운 마음씨, 밝고 맑은 은은한 광명(빛)〉

나를 표현할 수 있는 단어가 이렇게나 많다니 놀라웠다. 더욱 놀라운 건 내가 좋아하는 단어들이라 글에 스며들어 있다는 것이다. 고운 눈과 고운 마음으로 바라봐주는 사람들이 곁에 있기에 행복함을 느낀다. 좋은 사람이 되어야겠다고 괜찮은 어른이 되어야겠다고 다짐한다.

글을 쓰며 행복했다. 과거의 나를 마주하며 잘 살아왔다고 잘 해왔다고 스스로 토닥여줬다. 좋은 일만 가득하지는 않았고 힘든 일도 있었다. 하지만 좋은 기억들이 꼬리에 꼬리를 물다 보니 나쁜 기억보다는 좋은 기억이 떠올랐다. 아프고 힘들고 슬픈 일은 글을 쓰면서 마음이 치유되었다. 하고 싶은 이야기를 글로 풀어내면서 고마운 마음을 전할수록 마음이 따뜻해져 오는 것을 느꼈다. 이 글을 읽게 된 사람들에게 용기 내어 글을 써보라고 이야기하고 싶다.

나와 가족 그리고 주변의 모든 것을 돌아보며, 어렵게 생각하지 말고 뭐든지 적어 보시라. 글이 주는 행복을 함께 나눌 수 있는 당신이기를 기대해 본다.

긍정 에너지와 사랑을 알게 해주신 아빠

세상에서 가장 아름답고, 내가 제일 존경하는 엄마

후광의 주인공 내 사랑 알맹 아빠

존재 자체만으로도 소중한 알맹이

껌딱지 여동생을 지금까지도 아껴주는, 고마운 오빠

반짝반짝 빛나는 샛별 같은 새언니

나의 어린 시절을 생각나게 하는 사랑스러운 조카들

내 인생에 힘이 되어준 여러분

그대들이 있기에 내가 있습니다. 감사하고 사랑합니다.

"인생은 B와 D사이의 C다."

인간은 태어나서(Birth)

죽는 날(Death)까지

끊임없는 선택(Choice)의

연속에 놓여 있다.

- 장 폴 사르트르 -